BANII NU SUNT PROBLEMA...TU EȘTI

GARY M. DOUGLAS & DR. DAIN HEER

AC P

Titlul în original: Money isn't the problem, you are
A doua ediție
Copyright © 2013 Gary M. Douglas și Dr. Dain Heer
Publicată întâia oară de către Big Country Publishing în 2012
Access Consciousness Publishing
www.AccessConsciousnessPublishing.com

Banii nu sunt problema, tu ești
Copyright © 2019 Gary M. Douglas și Dr. Dain Heer
ISBN: 978-1-63493-297-4
Access Consciousness Publishing

Ilustrația copertei: Katarina Wallentin
Imaginea de pe copertă: © Alexey Audeev istockphoto
Paginarea interioară realizată de: Anastasia Creatives
Imaginea de interior: © Khalus istockphoto

Traducere din limba engleză: Alina Ileana Stoian

CUPRINS

Introducere 5

Capitolul 1: Bani, bani, bani 7

Capitolul 2: Câteva instrumente grozave 27

Capitolul 3: Imaginează-ți ce ai vrea să fie jobul tău 42

Capitolul 4: Cum te descurci cu oamenii dificili 51

Capitolul 5: A dărui și a primi 65

Capitolul 6: Sărbătorește-ți abundența 81

Notă pentru cititor 92

Glosar 93

INTRODUCERE

Am scris această carte pentru cei care trăiesc într-o stare de dificultate permanentă cu banii, fie că este vorba despre cheltuieli prea mari, fie că nu au suficienți bani, fie că au prea mulți.

Sunt Gary Douglas, fondatorul Access – un sistem de transformare energetică ce pune la dispoziția oamenilor instrumente pe care le pot folosi pentru a elimina limitările și lipsurile pe care le au și pentru a crea noi, uimitoare și minunate posibilități pentru ei. În această carte, prietenul și colaboratorul meu Dain Heer și cu mine prezentăm procese, instrumente și puncte de vedere despre bani pe care le puteți folosi ca să vă schimbați modul în care banii apar în viața voastră.

Această carte are la bază Seminarul Access despre bani, seminar pe care l-am prezentat în orașe din Statele Unite, Costa Rica, Australia și Noua Zeelandă.

Am început să susținem un seminar despre bani pentru că am remarcat că oamenii încercau mereu să găsească o soluție la ceea ce credeau ei că este problema lor cu banii.

Eu însumi am avut o mulțime de așa-zise probleme cu banii și am făcut atât de multe cursuri despre bani încât am devenit sașiu doar gândindu-mă că aș mai putea merge la încă un curs despre bani. În final, niciunul dintre cursurile despre bani la care am participat nu a schimbat niciodată nimic în legătură cu modul în care abordam relația mea cu banii.

Aveam în continuare aceleași „probleme cu banii" și după ce cursul se încheia. Relația mea cu banii a început să se schimbe pe măsură ce Access se dezvolta și descopeream noi puncte de vedere care puteau fi folosite pentru a crea o relație diferită cu banii. În această carte, Dain și cu mine vă oferim aceste puncte de vedere, împreună cu filozofia care stă la baza lor, precum și instrumente și tehnici pe care le puteți folosi pentru a face situația voastră financiară să funcționeze.

Gary Douglas
Santa Barbara

Capitolul unu

BANI, BANI, BANI

AI O PROBLEMĂ CU BANII?

Dain și cu mine avem un prieten care voia să facă o grămadă de bani.

El spunea: „Am o problemă cu banii."

Eu spuneam: „Nu, nu ai."

El zicea: „Ba da, am."

Eu răspundeam: „Nu, nu ai."

În cele din urmă, m-a întrebat: „Ce vrei să spui?"

I-am spus: „Nu ai o problemă cu banii; doar că nu ești dispus să primești."

La care el a răspuns: „Nu e adevărat."

I-am spus: „Ba da, e adevărat. Voi demonstra că problema ta nu e legată de bani. Îți voi da un milion de dolari, la care nu trebuie să plătești taxe, dacă te vei întoarce și vei rămâne la stadiul la care erai înainte să începi Access."

Iar el a spus: „Pentru nimic în lume."

Nu este vorba despre bani. Niciodată. Este vorba despre ce anume ești dispus să primești. Dacă ești dispus să primești libertatea vieții, atunci banii nu au nicio valoare pentru tine. Mulți oameni cred că banii sunt o soluție, dar nu e așa.

Banii nu sunt niciodată soluția

Banii nu sunt niciodată soluția pentru că banii nu sunt niciodată problema. Dacă încerci să folosești banii ca o soluție, tot ce faci este să creezi o altă problemă pe care să o rezolvi cu banii pe care îi ai sau pe care nu-i ai.

Vor rezolva banii problema pe care o ai?

Gândește-te la asta pentru o clipă. Banii îți vor rezolva problema pe care o ai sau tu o vei rezolva? Tu o vei rezolva. Cum vei face asta? Rezolvi ceea ce pare a fi o problemă cu banii revendicând și asumându-ți adevărul tău. Ce vreau să spun cu asta?

Cu mulți ani în urmă, lucram în afaceri imobiliare. Câștigam peste 100.000 de dolari pe an și soția mea la fel. Trăiam bine. Eram pe val. Eram *cool*. Făceam parte din clubul oamenilor bogați. Eram invitați la petrecerile și evenimentele bogătașilor din zona selectă a orașului. Eram prieteni la cataramă cu elita socială. Era fabulous.

Apoi, afacerea mea s-a prăbușit. Venitul meu a trecut de la 100.000 de dolari anual, la 4.000 de dolari anual. Desigur, nu a ajutat nici faptul că aveam de plătit lunar un credit pentru casă de 5.000 de dolari, plus ratele la mașină de 1.500 de dolari iar copiii noștri mergeau la școli private care ne costau 15.000 de dolari de copil în fiecare an.

Am completat toate formularele de faliment cunoscute pe fața pământului în timp ce treceam prin procesul de a pierde totul. Toți prietenii noștri care locuiau în partea bună a orașului nu mai voiau să socializeze cu noi.

Ciudat, pentru că, ghici care este singura prejudecată din lume pe care nu o poţi depăşi? Sărăcia. Lipsa banilor. Dacă ai mulţi bani, nu contează ce rasă eşti, care este culoarea pielii tale, ce credinţă sau ce religie ai sau cât eşti de nebun. Eşti în regulă. Le spun oamenilor să fie pe cât de ciudaţi sunt în realitate. Îmbogăţeşte-te ca să fii privit ca un excentric, nu ca un nebun.

Am ajuns în situaţia în care nu mai aveam niciun ban. Copiii noştri au fost obligaţi să se retragă de la şcoala privată. Ne-am pierdut maşinile, casa, am pierdut aproape tot ce deţineam. M-am angajat să lucrez pentru alte companii şi uram asta. Nimic nu a funcţionat pentru mine până când am recunoscut că singura alegere pe care o aveam era această metodă nebunească, excentrică şi de neimaginat pe care o numim Access. Şi, odată ce am pornit în această direcţie, totul s-a schimbat radical. Nu-i aşa că e interesant?

Când nu eşti dispus să revendici, să-ţi asumi şi să fii tot ceea ce eşti în totalitate, fiinţa nemaipomenită şi minunată care eşti cu adevărat – indiferent cât de mult vrei să te opui şi să reacţionezi, indiferent cât de mult vrei să scapi de asta – te distrugi în toate privinţele până când nu mai ai de ales.

Eşti dispus să renunţi la punctul de vedere că nu ai alegere şi să începi să recunoşti că modul de a crea tot ceea ce doreşti este să fii atât de neimaginat, nebunesc şi excentric pe cât eşti cu adevărat? Încetează să te mai prefaci că eşti slab, insipid şi neinteresant.

Oamenii îşi spun: *„Dacă aş fi bogat şi aş avea toţi banii pe care îi vreau, nu aş mai face ceea ce fac şi aş trăi o altfel de viaţă."* Dar nu merge aşa.

Studiile au arătat că atunci când oamenii câştigă la loterie, după o perioadă de 1 până la 2 ani, se vor afla în aceeaşi situaţie financiară de dinainte de câştig. Deşi este la un nivel mai ridicat, ei au acelaşi grad de îndatorare, acelaşi nivel de limitare şi sunt în aceeaşi harababură financiară în care se aflau înainte să câştige banii. De unde reiese că banii nu sunt niciodată soluţia.

Dar dacă faci ceea ce este adevărat pentru tine, atunci câştigul la loterie nu va mai avea importanţă. De fapt, dacă ai câştiga la loterie mâine, ai avea prilejul de a crea mai multe din lucrurile măreţe pe care deja ştii că le poţi crea.

A primi este problema iar tu eşti soluţia

Adevărata „problemă cu banii" constă în faptul că tu nu eşti dispus să te primeşti pe tine în viaţa ta. Cel mai important lucru pe care nu eşti dispus să-l primeşti este să ştii cât de extraordinar de important eşti cu adevărat. Banii nu sunt problema. Banii nu sunt soluţia. A primi este problema iar tu eşti soluţia. Atunci când începi să primeşti măreţia care eşti cu adevărat, totul în viaţa ta începe să se schimbe – inclusiv situaţia cu banii. Dacă eşti dispus să primeşti minunea care eşti şi să permiţi lumii să-ţi vadă măreţia, lumea îţi va dărui ceea ce meriţi cu adevărat. Disponibilitatea de a te percepe şi a te primi pe tine într-un mod diferit este începutul creării a ceea ce îţi doreşti cu adevărat în viaţa ta. Acesta este locul de unde trebuie să începi.

Aşadar, de ce anume e nevoie pentru ca eu să fiu actorul principal în viaţa mea?

În acest moment trebuie că te simţi frustrat fiindcă cineva îţi spune că eşti măreţ şi minunat. Bine, fie. Ştii lucrul ăsta şi totuşi, nu ai fost capabil niciodată să realizezi ceea ce ţi-ai dorit. Poate chiar te-ai enervat la culme şi te întrebi: *Aşadar, de ce anume e nevoie pentru ca eu să mă remarc în propria mea viaţă?*

Aceasta este o întrebare pe care trebuie să o pui pentru că universul îţi va răspunde dacă eşti dispus să pui o întrebare şi să asculţi răspunsul.

Te rog continuă să citeşti. Toată cartea aceasta conţine instrumente, tehnici şi informaţii pe care le poţi folosi şi care te ajută să te remarci în propria viaţă. Sperăm că le vei folosi ca să începi să creezi viaţa pe care ţi-ar plăcea să o ai.

VREI BANI?

Starea naturală a lucrurilor aici, pe planeta Pământ, contrar a ceea ce ţi s-a spus, este una de abundenţă. Dacă te uiţi de jur împrejur atunci când eşti în mijlocul naturii ai să vezi că – atunci când omul nu face tot ce poate ca să distrugă lucrurile – nu există niciun loc unde viaţa să nu fie înfloritoare şi abundentă. În lumea animalelor şi a plantelor, în lumea insectelor şi a păsărilor, nu există niciun loc unde să nu existe abundenţă. Până şi în peisajele aşa-zis sterpe există inimaginabil de multă viaţă. Pe un drum nefolosit, chiar dacă este unul asfaltat, în scurt timp vor apărea crăpături, vor începe să crească buruieni şi în foarte scurt timp drumul va fi acoperit în întregime şi nu-l vei mai vedea. Este un univers uimitor de abundent şi doar atunci când omul introduce betonul încetăm a mai cunoaşte abundenţa naturii. Doar pe acolo pe unde păşeşte omul există ariditate şi sărăcie.

Conştiinţa sărăciei este ceea ce ne împiedică să percepem şi să experimentăm starea firească şi constantă de abundenţă. Conştiinţa sărăciei nu este o reflexie a modului în care stau lucrurile cu adevărat: este un tipar mental pe care ni-l creăm. Este locul din care funcţionăm când ne spunem: *Nu am destul. Nu am niciodată destul.* Indiferent de ce se întâmplă, nu voi avea niciodată destul. Sunt un milion de variaţii pe această temă: *Am doar atât cât să supravieţuiesc. Nu am nevoie de mai mulţi bani pentru a mă descurca.*

Este punctul de vedere că lipsa este mai reală decât abundenţa. Este vorba despre ideea că este mai nobil să fii foarte sărac decât să fii bogat. Unii oameni chiar cred că este superior din punct de vedere moral să fii sărac. Ei au mândria sărăciei. Dain povesteşte că membri ai familiei sale obişnuiau să spună: „Măcar noi avem o familie grozavă şi suntem fericiţi. Oamenii ăia cu bani nu sunt fericiţi." Dain spune că se uita împrejur şi-şi zicea în sinea lui: „Nu ar putea fi mai nefericiţi decât voi? Nu cred asta!"

Deseori, oamenii cu conştiinţa sărăciei se mândresc că sunt foarte săraci. Sau cred că se pot simţi confortabil numai cu oamenii care se află la nivelul lor socio-economic. Se vor simţi confortabil doar în preajma oamenilor care sunt la fel de săraci ca şi ei: *Ştii, nu m-aş simţi confortabil în preajma oamenilor bogaţi, deoarece oamenii bogaţi sunt diferiţi.* Ei bine, fie. Uită-te în ce categorie tocmai te-ai plasat!

Conştiinţa sărăciei nu este o stare de spirit pe care o au numai oamenii „săraci". O pot avea şi oamenii bogaţi. Am fost recent la o petrecere a unui miliardar şi părea că toată lumea de acolo încerca să fie cel mai bun la a-şi înjosi grădinarul şi angajaţii. Asta era ceea ce credeau ei că înseamnă a fi bogat: umilirea angajaţilor. *Ah, este atât de greu să găseşti ajutor de calitate.* Nu, nu este! Este uşor să găseşti ajutor de calitate dacă te porţi frumos cu oamenii. Chiar dacă au mulţi bani, le lipseşte disponibilitatea de a primi faptul că şi ceilalţi sunt importanţi. Ei cred că trebuie să îşi controleze angajaţii şi să-i plătească cât mai puţin posibil. Conştiinţa sărăciei nu are legătură cu suma de bani pe care o ai, ci cu modul în care te tratezi pe tine şi îi tratezi pe ceilalţi şi cu abundenţa pe care eşti dispus să o vezi în lume.

Cuvântul a *vrea* este o componentă cheie a conştiinţei sărăciei. Ştii ce înseamnă a *vrea*? Înseamnă *a-i lipsi*. De fiecare dată când spui *vreau*, spui *îmi lipseşte*. Dacă spui *Vreau mai mulţi bani* vor începe să-ţi lipsească din ce în ce mai mult, tot timpul. Dacă începi să fii atent la ce gândeşti sau la ce spui, vei vedea exact cum creezi abundenţa – sau lipsa ei – care apare în viaţa ta.

Caută a *vrea* în dicţionar. E posibil să fie nevoie să-l cauţi într-un dicţionar mai vechi; dicţionarele tipărite înainte de 1946 au definiţii corecte pentru cuvintele din limba engleză. După 1946, au început să schimbe definiţiile ca să reflecte întrebuinţarea colocvială. Dacă te uiţi la cuvântul a *vrea* într-un dicţionar de dinainte de 1946, vei observa că sunt o serie de definiţii a lui a *vrea* care înseamnă *a-i lipsi/a avea un neajuns* şi doar una singură care înseamnă *a dori*. *A dori înseamnă a căuta ceva care va fi disponibil în viitor.* Deci, chiar şi cu această definiţie ai necazuri.

Ascultă-i pe cei care au abundenţă cu adevărat; cuvântul a *vrea* nu face parte din vocabularul lor. Ei nu cunosc acest cuvânt. Ei nu au ideea că *a vrea* face parte din viaţă. Totul este despre a avea, a obţine, a căuta şi a permite.

Există un vechi proverb care spune: „Cine nu risipeşte banii nu va duce lipsă". Dacă recunoşti că *a vrea* înseamnă *a-i lipsi*, şi te asculţi pe tine, vei observa că îl foloseşti tot timpul. Întreabă-te: *De ce ar fi nevoie pentru ca acest cuvânt „a vrea" să dispară din vocabularul meu?* În loc să creezi din *Vreau bani* dă-ţi voie să creezi din **Nu** *vreau bani* pentru că de fiecare dată când spui *Vreau mai mulţi bani* spui, de fapt, *Îmi lipsesc banii* şi asta este exact ce apare în viaţa ta.

Încearcă asta: spune de zece ori *Nu vreau bani.*

Nu vreau bani.

Nu vreau bani.

Nu vreau bani.

Nu vreau bani.

Nu vreau bani.

Nu vreau bani.

Nu vreau bani.

Nu vreau bani.

Nu vreau bani.

Nu vreau bani.

Ce s-a întâmplat? Spunând *Nu vreau bani* te-a făcut să te simţi mai uşor sau mai greoi? *Mai uşor* se referă la o stare de expansiune şi posibilitate şi senzaţia de mai mult spaţiu. (Poate că ai zâmbit sau ai râs în hohote). *Mai greoi* se referă la o stare de contracţie, de apăsare şi mai puţine posibilităţi.

Dacă eşti ca majoritatea oamenilor, când ai spus *Nu vreau bani* te-ai simţit mai uşor. De ce? Pentru că adevărul te face întotdeauna să te simţi mai uşor. O minciună te face să te simţi apăsat. Adevărul tău este că nu-ţi lipsesc banii şi când spui asta arăţi că eşti dispus să atragi asta.

Poți să inviți primirea banilor în viața ta spunând asta de zece ori în fiecare dimineață. Când oamenii din jurul tău spun *Vreau bani* tu poți să zâmbești cu înțeles și să spui *Eu **nu** vreau bani!*

ÎȚI FACI GRIJI DIN CAUZA BANILOR?

Îți faci griji vreodată că nu ai suficienți bani? Când a fost ultima dată când ți-ai făcut griji din cauza banilor? Vezi cum se simte asta. Simți? Bine, acum fă această senzație infinită. Fă-o mare cât tot universul. Fă-o mai mare decât universul. Nu etern, doar infinit. Îți poți imagina că legi o pompă de aer uriașă fix în mijlocul acestei îngrijorări și apoi o umfli până când ajunge mai mare decât universul. A face ceva mai mare decât universul nu este ceva la care trebuie să te gândești sau ceva ce trebuie să faci. Este doar o conștientizare și, de obicei, se întâmplă de îndată ce ai cerut ca ea să apară.

Ce se întâmplă cu îngrijorarea ta legată de bani atunci când o faci infinită? Devine ea mai consistentă sau mai solidă? Pare mai reală? Sau se estompează și dispare? Dacă dispare, ceea ce presupunem că va face, atunci înseamnă că este o minciună. Îngrijorarea ar putea fi ceva ce tu crezi că este real dar chiar nu este. Ai crezut ceva ce nu este adevărat.

Acum, gândește-te la cineva la care ții. Fă acel sentiment infinit, mai mare decât universul. Devine mai substanțial sau mai puțin real? Mai substanțial? Nu-i așa că e interesant? Când te gândești la cât de mult ții la cineva, și faci acest sentiment infinit, mai mare decât universul, constați că este chiar mai mare decât ești dispus să recunoști față de tine. Dacă ai fi dispus să recunoști cât de mult ții la cineva, și dacă ai fi dispus să ții la fel de mult la tine, cât de mult crezi că ai fi dispus să primești?

Când iei toată această grijă pe care o ai și o faci infinită, devine mai consistentă și mai prezentă. Ocupă mai mult spațiu decât a ocupat supărarea. Îți dai seama că îți pasă mai mult decât recunoști. Poate că spui: „Da, da, îmi pasă" dar atunci când îi mărești volumul și o faci mai substanțială îți dai seama cât de mult îți pasă. E aproape ca și când ne-ar fi teamă să ne pese atât de mult.

Gândește-te că ai mulți bani

Acum, gândește-te că ai mulți bani. Trăiește sentimentul că ai o mulțime de bani. Fă-l infinit, mai mare decât universul. Devine mai substanțial sau mai puțin substanțial? Mai substanțial? Și atunci când te gândești că nu ai bani, când spui: *„Ah nu, sunt falit, nu pot să fac asta"* dacă faci aceste stări sau griji infinite, mai mari decât universul, ce se întâmplă cu ele? Dispar.

Dacă creezi pe baza unei minciuni, poți să creezi un adevăr din asta?

Nu-i așa că e interesant? Avem tendința să credem minciuni precum *Nu am bani* și apoi încercăm să ne creăm viețile pe baza acelor minciuni. Dacă încerci să creezi pe baza unei minciuni, poți crea un adevăr din asta? În niciun caz. Dacă te minți pe tine însuți sau crezi puncte de vedere false, creezi limitări care nu-ți dau voie să-ți dezvolți posibilitățile financiare.

Uneori Dain povestește despre o parte din membrii familiei lui care se credeau norocoși dacă aveau destui bani ca să cumpere de mâncare. Bunicii lui au crescut în perioada crizei și au fost momente în care nu aveau ce mânca. Punctul lor de vedere era că aveau noroc dacă aveau destui bani pentru mâncare. Dain a crezut că acest punct de vedere este adevărat și l-a păstrat până a început Access. El a crezut faptul că a avea destui bani ca să cumperi de mâncare era o măsură a succesului. După ce a început Access a realizat „Stai puțin! Asta nu e adevărat!"

La scurt timp după ce a început Access și a văzut posibilități diferite în viață, am plecat împreună la San Francisco să ținem un curs Access. Urma să stăm acolo trei zile iar Dain a cumpărat zece sandvișuri cu unt de arahide și jeleu, aproape jumătate de kilogram de fructe uscate și semințe și trei cutii cu batoane de cereale. Dat fiind că nu avea bani, a crezut că asta va mânca pe parcursul șederii acolo.

Pe drum, la un moment dat, am început să mestec o lamă de gumă Big Red. Am mestecat-o aproximativ 10 minute, am scuipat-o și am luat una noua. Am mestecat-o şi pe asta 10 minute, am scuipat-o şi am luat încă una nouă. Am mestecat-o timp de 20 de minute şi apoi am luat una nouă. Dain nu zicea nimic dar se panica de fiecare dată când puneam în gură o lamă nouă de gumă.

În cele din urmă a întrebat: „De ce faci asta?"

Iar eu am spus: „Ce fac?"

El: „Mesteci câte-o bucată de gumă una după alta aşa."

Eu: „Pentru că îmi place gustul doar la început! Mai încolo e plictisitor."

Dain provenea dintr-o familie unde guma se mesteca o zi jumate. El nu se gândise niciodată că ai putea face lucruri atât de extravagante cu un pachet de gumă care costa un dolar. Nu luase niciodată în considerare un standard diferit de bunăstare pentru sine. Asta a făcut praf întreaga lui paradigmă despre a nu avea suficient. Reacţia lui a fost: „Stai puţin! Poţi să faci asta?"

Pe măsură ce creştem, cei mai mulţi dintre noi credem în minciuni şi limitări ca aceasta. *Aşa arată succesul* sau *Asta pot (sau nu) să am.* În cazul lui Dain minciuna era: *Abundenţă înseamnă să fii capabil să-ţi asiguri hrana.* Acesta era punctul de vedere al familiei lui şi acesta era punctul de vedere în care credea. Asta înseamnă abundenţa? Nu, sigur că nu. Când şi-a dat seama că încercase să-şi construiască situaţia financiară în jurul unei minciuni, au început să apară noi posibilităţi.

În loc să înnebuneşti din cauza banilor – lucru la care, apropo, suntem buni cu toţii – în loc să te îngrijorezi cu privire la bani sau să trăieşti la limita sărăciei, începe să-ţi dai seama că temerile, îngrijorările şi credinţele despre bani nu sunt reale.

Şi când îţi dai seama că nu sunt reale, nu le mai crezi şi nu-ţi mai creezi viaţa pe baza a ce nu e real sau adevărat.

Faceți-o mai mare decât universul

Folosiți acest exercițiu pentru a ajunge la adevărul lucrurilor. Când faceți lucrurile mai mari decât universul, ceea ce este adevărat devine mai deplin și mai substanțial – se simte mai real, ocupă mai mult spațiu iar ce este o minciună se disipă. Dispare. Schimbați ceea ce se petrece cu banii în viața voastră folosind acest instrument simplu și creați din ceea ce este adevărat pentru voi.

NU-MI PERMIT ASTA

Ți-ai spus vreodată: *Nu-mi permit asta*? Cu ani în urmă, lucram într-un magazin de antichități în care rearanjam mobilele. Mă angajaseră pentru că de fiecare dată când rearanjam lucrurile, obiecte care stătuseră în stoc de doi ani acum se vindeau. Mă chemau să rearanjez cam la două săptămâni.

Câștigam 37,50$ pe oră, ceea ce erau bani buni la vremea aceea. Făceam treaba asta pe lângă tot ce mai făceam ca să-mi întrețin copiii și soția. Proprietarii magazinului erau foarte mulțumiți de ceea ce făceam așa că mi-au spus: *Știi ceva? Orice vrei să cumperi din magazin îți oferim la prețul de cumpărare, îl rezervi și-l plătești când poți. Doar să lucrezi la noi în continuare.*

Acesta nu era un magazin de antichități ieftin. Era un loc unde aveau seturi pentru dormitor de 20.000$. Aveau inele cu diamante care costau 35.000$. Mă uitam la ele și mă întrebam: „Cine-și poate permite așa ceva?" După ce mi-au spus asta, m-am uitat prin tot magazinul și dintr-odată mi-am dat seama că aș putea avea orice de acolo.

Ceea ce credem că nu putem avea devine valoros

De îndată ce am recunoscut că îmi permit orice doresc – s-ar putea să dureze ceva până să le pot lua acasă, dar îmi puteam permite orice era în acel magazin – mi-am dat seama că nimic nu conta pentru mine.

Nu-mi mai păsa. Ceea ce credem că nu ne putem permite sau ceea ce credem că nu putem avea este ceea ce devine valoros. Devine valoros nu pentru că are valoare adevărată ci pentru că nu-l putem avea. Facem lipsa semnificativă. Așadar, de câte ori spui: *Nu-mi permit asta* spui că nu meriți. *Nu-mi permit asta* înseamnă *Nu pot avea asta*. De câte ori ai decis că nu-ți poți permite un lucru și te-ai mulțumit cu ceva care era mai puțin decât îți doreai să ai? Îți poți permite orice. Aproape orice magazin din lume îți va vinde o marfă dacă depui un avans și apoi plătești în rate.

Dain și cu mine am fost la un amanet de curând. Aveau un anunț care spunea „Avans și rate." Ideea era să intri în magazin unde aveau marfă de până la 20.000$ și-ți rezervau orice cu un avans și plata în rate. Dacă stabileai rate eșalonate, puteai avea orice de-acolo. Dar întrebarea este: chiar dorești orice?

Ce mi-aș dori să am cu adevărat?

Exersează asta singur. Intră într-un magazin și plimbă-te spunându-ți: *Așa, pot avea orice obiect de aici pe care mi-l doresc cu adevărat. Ce mi-aș dori în realitate?* Vei privi lucrurile și vei spune: *Nu. Nu. Ăsta e drăguț. Ăsta e drăguț.* Și vei pleca de-acolo spunându-ți: *Știi ceva? Nu-mi doresc să am cu adevărat nimic din ce e acolo.*

Voi avea asta în viața mea

Dacă găsești ceva ce ți-ai dori să ai, spune: *Voi avea asta în viața mea* și mergi mai departe fără să te uiți la eticheta cu prețul. De ce să nu te uiți la preț? Pentru că dacă te uiți, creezi o limitare despre cât va costa și despre cum nu-ți permiți acel lucru. Dacă nu te uiți la etichetă și doar spui *Voi avea asta în viața mea,* atunci poți crea o oportunitate pentru ca universul să-ți pună obiectul acela în brațe, într-un fel în care nu ți-ai imaginat că ar fi posibil, la un preț pe care ești dispus să-l plătești.

Recent, fiica mea a spus: „Tata, mi-aș dori un portofel Gucci. Costă 250$."

Am zis: „Bine, în regulă. Să vedem ce se poate întâmpla."

Trei săptămâni mai târziu, fără un motiv anume, m-am oprit la un târg de chilipiruri și acolo am găsit un portofel Gucci de vânzare. Costa trei dolari. Am presupus că este o copie și am luat-o. S-a dovedit că era autentic.

DACĂ BANII NU AR FI PROBLEMA, CE AI ALEGE?

Când vrei să cumperi un articol, poți să elimini starea de *nevoie* și starea de *fără bani* întrebându-te: *Dacă banii nu ar fi problema, ce aș alege?* Majoritatea dintre noi facem alegeri bazate pe ceea ce credem că avem nevoie - și nu putem avea. Când te întrebi: *Dacă banii nu ar fi problema, ce aș alege?* nu mai faci din bani fundamentul alegerii tale.

Dain a mers să cumpere o imprimantă. Se uita la mai multe modele și a pus întrebarea: *Dacă banii nu ar fi problema, ce aș alege?*

Primul lui gând a fost: „Oh, aș cumpăra-o pe cea mai mare!" Costa 500$ care era puțin peste ce era el dispus să plătească dar asta credea el că ar cumpăra dacă banii nu ar fi fost problema.

Dar apoi, a început să se uite în jur și a găsit o altă imprimantă care avea aceleași specificații ca cea de 500$. Costa 150$. Și-a zis: „Dacă banii nu ar fi problema, aș alege imprimanta de 150$." De îndată ce s-a eliberat de: *Am nevoie de asta dar nu pot să o am* a realizat că poate avea orice își dorește la un preț mult mai bun.

La fel ca Dain, majoritatea dintre noi presupunem că dacă banii nu ar fi problema am cumpăra cel mai bun și mai scump obiect. Atunci când nu mai consideri banii o problemă, poți să vezi că: *Ah, dar de fapt nu o vreau pe cea mare.* Uneori cea mai bună nu este cea de care ai nevoie. Pentru 150$ obții ceea ce ți-ai dorit de la început.

În loc să presupui că, dacă ai avea așa numitul *cel mai bun* produs ai face mai mult, ai avea mai mult și ai crea mai mult, poți folosi această întrebare ca să-ți faci o idee cu privire la perspectiva ta personală. Îți permite să vezi care este adevărata valoare a unui lucru – pentru tine. Te scoate din punctul de vedere *Nu pot avea asta pentru că*...Dacă preferința personală ar fi singurul criteriu după care ai alege, ce ai alege? Ai cumpăra cel mai bun lucru pentru tine, luând în considerare situațiile pentru care cumperi lucrurile.

De asemenea, vor fi momente când vei întreba *Dacă banii nu ar fi problema, ce aș alege?* și vei decide să cumperi cel mai scump obiect – încă o dată, pentru că nu faci din bani un criteriu de alegere. Faci o alegere bazată pe ce este mai bine pentru tine.

EȘTI DISPUS SĂ PLĂTEȘTI IMPOZITE?

Unii oameni refuză să plătească impozite. Au decis că nu vor să mai plătească impozite vreodată și fac tot ce pot ca să le evite. Dar asta este o decizie foarte proastă pentru că atunci când fac asta ei își reduc sumele de bani pe care sunt dispuși să le primească.

Pentru a avea, trebuie să fii dispus să primești totul, inclusiv impozitele. Dacă nu ești dispus să plătești impozite, atunci nu ești dispus să ai un venit. În ceea ce mă privește, aș vrea să plătesc mai multe impozite. Trebuie să vrei să fii în stare să plătești sume exorbitante de bani ca impozite pentru că asta înseamnă că poți primi sume exorbitante de bani.

Am lucrat cu un bărbat care intrase într-un grup de neplătitori de impozite și care avea convingerea că este ilegal ca Fiscul să strângă taxe. Punctul lor de vedere este că Fiscul este o corporație privată căreia i s-a încredințat sarcina de colectare a taxelor, lucru care nu e acoperit de Constituție, așa că, prin urmare, sunt un grup ilegal.

> După ce ne-a spus despre asta, am zis: „Bine. Acum să-ți spun ceva despre venitul tău. De când ai intrat în acest grup, venitul tău s-a redus cu jumătate."

> Tipul a zis: „Uau, de unde știi asta?"

I-am spus: „Pentru că încerci să te ascunzi de guvern. Când încerci să te ascunzi înseamnă că nu-ți dai voie să primești. Este imposibil să stai ascuns și să crești suma de bani pe care o faci."

Este vreo parte a vieții tale pe care o ascunzi? Tot ce încerci să ascunzi cu privire la impozite și perceperea de impozite și tot ce are legătură cu asta, distrugi și decreezi toate acele decizii și revendici și îți asumi că poți plăti orice fel de impozit alegi? Cea mai bună apărare este să fii ofensator de bogat.

DATORIE vs. CHELTUIELI DIN TRECUT

Uneori, oamenii mă întreabă despre *datorie* și cum se integrează ea în toată această conversație despre bani. Ați remarcat vreodată că *datorie* sună foarte similar cu *moarte* (n.t. valabil în pronunția din limba engleză)? Știați că *ipotecă* provine de la *mort* – moarte care la origini însemna *la moarte cu asta*? (n.t. în limba engleză). Cu alte cuvinte: *Voi munci pentru casa asta până la moarte* (în cazul creditului ipotecar) care, în general, este ceea ce fac majoritatea oamenilor.

Când aveți datorii de plătit, în loc să vă gândiți la voi ca la un datornic - și cu toții am trăit multe vieți în care existau pușcăriile pentru datornici și unde am ajuns și noi pentru că datoram bani – gândiți-vă că plătiți niște cheltuieli făcute în trecut. Aveți de plată cheltuieli din trecut, nu datorii.

Când funcționezi din punctul de vedere al *cheltuielii din trecut* mai degrabă decât al datoriei, începi să cureți lucrul acela. De fiecare dată când spui *datorie*, pui în mișcare toate aducerile aminte din toate viețile în care ai mers la închisoarea datornicilor. Hai să scăpăm de datorie.

CREDIT

Dacă ai credit atunci poți fi îndatorat. Nu-i așa că e grozav? Ai muncit ca să devii eligibil de a avea credit ca să ai o datorie mai mare? Așa funcționează. Dacă nu te califici pentru a obține credit, nu te califici să fii datornic. Eligibil pentru a obține credit înseamnă că poți datora mai mulți bani. Cât de tare e asta?

Vă sugerăm să vă schimbați perspectiva despre credit. Nu încercați să deveniți eligibili pentru credite. Căutați abundența din starea de eligibil pentru a avea bani cash. Întrebați: *Cum îmi sporesc fluxul de bani lichizi? Care sunt posibilitățile infinite pentru ca o grămadă de bani lichizi să vină în viața mea?*

Sunt oameni care îmi spun: „Of, am această datorie."

Iar eu zic: „Bine, deci ai această datorie. Cu cât mai mult trebuie să câștigi lunar pentru a o plăti? Iar ei spun: „Habar n-am. Plata lunară a cardului de credit este de 500$." Le spun: „Grozav. Asta înseamnă că în 20 de ani vei plăti toată datoria."

Dacă plătești până și cea mai mică sumă de bani cu cardul tău de credit, îți dai seama că cina care a costat 40$ va ajunge să te coste 200$? Uau, mă întreb de ce băncilor le place când plătești cu cardul de credit. E grozav să plătești cu cardul de credit, nu-i așa? Treci peste asta. E grozav să faci bani. De fapt, asta e grozav.

Te interesează cât este de *cool* să ai carduri de credit sau cât este de *cool* să faci bani?

Văd câteodată oameni care își deschid portofelele în care se etalează o sumedenie de cărți de credit și-i întreb: „La ce-ți trebuie toate astea?"

Ei spun: „Am credite multiple. Uite câte lucruri pot să cumpăr."

Eu le spun: „Nu ai nimic. Nu ai niciun ban."

La care ei spun: „Așa e dar pot să cumpăr o mulțime de lucruri."

Eu spun: „Da, dar nu ai bani deloc. Ești nebun și prost?"

Știu pe cineva care și-a scos cardurile de credit din portofel și le-a pus deoparte ca să nu ducă cu sine datoria pe care o avea. O idee excelentă. El spune că, după ce-și plătește datoria, le poate pune la loc unul câte unul – dacă e suficient de nesăbuit ca să facă asta.

Dacă poți începe să trăiești cu banii lichizi și cu fluxul de bani care există acum în viața ta, vei începe să te extinzi. Când gândim *„Oh, Doamne, am rămas fără bani"* ăsta este doar un punct de vedere. *„Am rămas fără bani. Trebuie să folosesc cardul de credit".* Acest punct de vedere în sine este suficient ca să te blocheze, pentru că este o minciună.

Renunță la cardurile de credit. Găsește o altă cale. Creează bani. Nu crea credit și datoria care vine la pachet. Instrumentele care urmează te vor ajuta în acest sens.

ZECIUIALA PENTRU TINE ÎNSUȚI

Zeciuiala este a zecea parte dintr-un venit pe care cineva o direcționează către o organizație caritabilă sau cu care susține biserica. Crezi în contribuția pentru biserica ta? Dar ce părere ai despre contribuția pentru tine însuți? Ai fi dispus să faci asta?

Iată ce să faci: iei 10% din toți banii care vin în viața ta și-i pui deoparte. Pune-i într-un cont de economii. Pune-i la bancă. Pune-i la saltea. Nu contează unde îi pui, doar pune-i deoparte. Nu-i cheltui.

Dacă persiști în a pune 10% deoparte, demonstrezi universului că dorești bani. Când pui bani deoparte pentru tine, universul răspunde: *Aha, îți plac banii? Bine, îți vom da și mai mulți bani.*

Poate că te gândești: *Dumnezeule, abia reușesc să mă descurc cu cât câștig acum. Cum să mai și pun deoparte 10%?* Răspunsul este: făcând acest lucru. Universul onorează orice îi ceri. Dacă te onorezi pe tine punând deoparte 10% din tot ce primești, universul spune: *Aha, vrei să fii onorat cu 10%? Iată mai mult pentru ca să te onorezi.*

Înainte să te onorezi pe tine ai cumva grijă de facturi? Atunci când plătești mai întâi facturile, observi cum numărul lor crește? De ce se întâmplă asta? Îți onorezi facturile iar universul spune: *Aha, îți plac facturile? Bine, îți vom da mai multe facturi.*

Asta nu înseamnă să nu-ți plătești facturile. Ceea ce faci este să te onorezi pe tine iar dacă trebuie să întinzi puțin coarda sau să rămâi în urmă cu plățile, nu-i nicio problemă. Dacă, înainte de toate, începi să te onorezi pe tine și depui 10% pentru tine, în decurs de 6 luni până la un an întreaga ta situație financiară se va schimba în bine. Vei atinge ținte financiare pe care le-ai creat acum un miliard de ani când ai spus: *Când voi avea suma asta de bani voi fi bogat. Când ajung la suma asta de bani voi fi foarte bogat.* Acestea sunt decizii pe care nici nu-ți mai amintești că le-ai luat, dar când le realizezi, trăiești un sentiment de pace iar frenetica nevoie de bani dispare.

Doar 10%

Prietenul meu care deținea magazinul de antichități împrumuta, la fiecare 6 luni, câte 100.000$ ca să meargă în Europa să cumpere antichități. Banca îi lua comision 10% din start. Asta înseamnă că îi lua 10.000$ comision ca să-i împrumute banii. Așadar, el a primit 90.000$ dar a trebuit să dea înapoi 100.000$ plus dobânda de 15%. Deci dacă i-a luat un an pentru a da banii înapoi, câți bani a plătit? Care a fost rata dobânzii? 25%. L-a costat 25.000$ ca să împrumute 100.000$ dacă nu plătea înapoi în șase luni.

Muncea de-i mergeau fulgii. Într-o zi i-am spus: „Dacă ai pune 10% deoparte, în șase luni de zile până la un an, întreaga ta situație financiară s-ar schimba în mai bine."

A început să facă asta și în șase luni și-a dublat dimensiunea magazinului și mergea în Europa să cumpere antichități cu proprii lui 100.000$. Afacerea i s-a dublat și afacerea soției lui a crescut de la 250.000$ anual la 1,5 milioane $.

După vreo doi ani, am intrat în magazinul lui, m-am uitat de jur împrejur și am zis: „Ai folosit cei 10%, nu-i așa?" El a răspuns: „Ah, ești clarvăzător". I-am răspuns: „Asta și faptul că simt energia de aici. Ești disperat să vinzi. Nu se mai simte ca un spațiu unde fiecare lucru valorează o mulţime de bani. E ca şi când totul este la reducere. Ai schimbat energia magazinului tău şi te aştepţi să ai succes pe ce bază?"

De atunci a devenit din ce în ce mai disperat pentru că nu a revenit la obiceiul de a pune deoparte cei 10%. Îmi mai răspunde la telefon? Nu. De ce? Ştie că dacă ar reveni la obiceiul de a pune 10% deoparte asta ar funcţiona din nou dar nu o face. Alegerea lui.

Poartă cu tine bani cash

Dacă porţi banii cu tine în buzunar şi nu-i cheltuieşti, te face să te simţi bogat. Ceea ce va apărea apoi în viaţa ta vor fi mai mulţi şi mai mulţi bani, pentru că îi transmiţi universului că ai din belşug. Alege o sumă pe care tu, ca om bogat, o vei purta în permanenţă cu tine. Oricare ar fi această sumă - 500$, 1.000$, 1.500$ - poart-o cu tine în portofel tot timpul. Nu spunem să porţi la tine o carte de credit Gold. Asta nu se pune. Trebuie să porţi cash în buzunar pentru că este vorba despre a recunoaşte abundenţa care eşti tu.

Poţi să transformi banii lichizi în monede de aur dacă îţi plac monedele de aur. Poţi să-i transformi în diamante dacă vrei. Păstrează-i într-un etalon monetar în care să-i poţi transporta uşor. Eu nu mi-aş transforma banii lichizi în petroliere pline cu petrol. S-ar putea scufunda.

Când vă spunem să puneţi 10% deoparte, nu spunem să puneţi aceşti bani în investiţii sau proiecte. Vrem să fiţi ca Scrooge McDuck. Îl ţineţi minte? Era unchiul miliardar al lui Donald răţoiul. El iubea banii! Îşi umplea piscina cu dolari în bancnote şi sărea în mijlocul lor. Vrei să ai mulţi bani? Atunci fii dispus să îi ai în realitate. Să ai mulţi bani în preajmă.

Poartă cu tine această sumă de bani. Poate să fie parte din cei 10% dacă doreşti. Păstreaz-o cu tine tot timpul şi nu o cheltui. Când ştii că ai 500$, 1.000$ sau 1.500$ în buzunarul tău îţi spui: *Ha, ce tare sunt!* Mergi cu capul sus. Ştii că poţi merge oriunde şi că poţi cumpăra orice - dar nu există nevoia să faci asta.

Nevoie vs. lăcomie

Când ai o stare de nevoie asta conduce întodeauna la o stare de lăcomie, care înseamnă că vei încerca să te agăți de ceea ce ai ca și când nu vei avea niciodată mai mult. Când simți acea sumă frumoasă, semnificativă de bani în buzunarul tău și posibilitatea ca lucrurile să evolueze, pot apărea tot felul de schimbări pentru tine întrucât nu funcționezi din punctul de vedere că ai o sumă limitată. Începi să funcționezi din punctul de vedere: *Am bani în buzunar. Am mii de dolari acasă, în sertar. Mă joc cu banii. Îi arunc pe pat și mă rostogolesc gol prin ei pentru că așa mă simt într-adevăr bine.*

Te-ai uitat vreodată cu adevărat la banii tăi? Cum arată ei? Portretul cui este pe bancnota de 100 de dolari? Noi știm asta pentru că avem o mulțime de astfel de bancnote. Sunt frumoase. Așa e, sunt frumoase și le avem în buzunare. Ne plac dolarii. Sunt atrăgători. Dacă ți-ai schimba părerea și ai crede că banii sunt atrăgători și dacă ți-ar plăcea cum arată ei, poate i-ai putea primi cu mai multă ușurință.

CÂTEVA INSTRUMENTE GROZAVE

DE LA TRANSPIRAȚIE LA INSPIRAȚIE

În Access nu căutăm aspectul de ultimă oră al lucrurilor. Căutăm partea creativă de ultimă oră pentru că, dacă îți creezi viața constant, atunci o îmbogățești.

În acest capitol oferim câteva întrebări, tehnici și instrumente care vă vor da șansa să treceți de la efort la inspirație în crearea vieții pe care v-o doriți. Dar uite cum stă treaba: dacă vreți ca viața voastră să se schimbe, trebuie să le folosiți.

Acestea sunt cele mai simple și mai eficiente instrumente pe care vi le puteți imagina dar 90% din oamenii cărora le împărtășim nu le folosesc niciodată. Dacă sunteți dependenți de inconștiență legat de bani, nu veți face ceea ce e necesar pentru ca să vă schimbați viața.

Veți răsfoi cartea aceasta și veți spune: „Am dat banii pe cartea aia despre bani și nu s-a schimbat nimic. A fost inutilă."

Ei bine, este inutilă dacă nu o folosiți. Dar dacă sunteți hotărâți să faceți câteva schimbări în viaţa voastră şi să creaţi o realitate diferită legat de bani - şi de orice altceva – vă invităm să încercaţi aceste instrumente.

TRĂIEŞTE ÎN ÎNTREBARE

Universul este un loc fără margini şi are infinite răspunsuri. Când pui o întrebare care nu are limite, universul îţi va da răspunsul. Dar ce facem noi în mod obişnuit este să punem o întrebare limitată cum ar fi: *Cum ajung de la punctul A la punctul B?* Şi când facem asta, mintea intră în acţiune ca să calculeze: *Fă asta, asta, asta şi asta.*

Când încerci să înţelegi modul în care vei face ca ceva să se întâmple, cauţi să găseşti răspunsul mai degrabă decât să pui o întrebare. Nu încerca să înţelegi. Te vei limita. Mintea ta este un lucru periculos. Nu poate defini decât ceea ce ştii deja. Ea nu poate fi infinită şi nelimitată. Ori de câte ori ai un răspuns, aceea este suma globală a ceea ce poate să apară pentru tine. Dar, atunci când trăieşti în întrebare, sunt disponibile posibilităţi infinite. Încearcă unele dintre aceste întrebări şi vezi ce se întâmplă.

Ce ar trebui pentru ca_____să îşi facă apariţia?

Când trăieşti în întrebare, tu creezi o invitaţie. Când întrebi: *Ce ar trebui pentru ca .... să îşi facă apariţia?* universul îţi va da ocazii pentru ca asta să se întâmple.

Când te blochezi în viaţă şi te gândeşti că: *Este ori asta, ori asta. Pot să fac asta, nu pot să fac asta. Pot să fiu asta, nu pot să fiu asta. Singurul mod în care pot ... este dacă Joe îmi împrumută 5.000$. Nu mi-aş putea permite niciodată ....* Pur şi simplu nu am banii pentru .... Acestea sunt puncte de vedere limitative. Adoptă un punct de vedere care să nu te limiteze folosind întrebarea: *Ce-ar trebui pentru ca ... să apară?*

Am fost recent la bancă să scot nişte bani din contul de economii pentru că părea că nu am suficienţi bani. Îmi ziceam: „La naiba! De ce nu am destui bani? Nu pricep. Ce e necesar pentru ca mai mulţi bani să-şi facă apariția? E ridicol să nu am suficienți bani. Ce anume e necesar să se întâmple?"

A doua zi, am scos din dulap servieta pe care nu o mai folosisem de aproape trei luni și am găsit în ea 1.600$ pe care îi pusesem acolo pentru un motiv anume. La două zile după asta, Dain și cu mine am zburat spre Florida și când am ajuns acolo, prietena noastră Jill i-a dat lui Dain un plic și i-a spus: „Ăștia erau împreună cu POS-ul pentru carduri de credit."

Dain a întrebat: „Ce sunt astea?"

Ea a răspuns: „Cecuri care nu au fost încasate niciodată pentru o clasă pe care ai făcut-o împreună cu Gary."

Erau cecuri în valoare de 2.000$.

În aceeași zi am primit un telefon de la o doamnă care plătise cu cardul de credit pentru servicii în valoare de 1.800$ care nu fuseseră achitate până atunci și, după o zi, am găsit într-un sertar un cec de 500$. În total, asta era suma de 6.000$ pe care o retrăsesem din contul de economii. Mi-am zis: „Hmm. Se pare că nu sunt în lipsă de bani. Doar că nu căutasem."

Chestia amuzantă este că încă se întâmplă. M-a sunat azi o doamnă care mi-a zis: „Ții minte clasa aceea la care am participat acum două luni? Nu mi-au debitat contul pentru ea. Îți trimit acum un cec prin poștă."

Am spus: „Bine, grozav! Cum devine și mai bine de atât?"

Trebuie să pui o întrebare pentru ca universul să-ți dea un răspuns. Trebuie să întrebi. Nu e suficient să spui: *Vreau mai mulți bani.* Asta înseamnă doar *Îmi lipsesc mulți bani* și nu este nicio întrebare acolo. Întotdeauna folosește o întrebare: *Ce-ar trebui pentru ca_____să apară?*

Ce e în regulă cu asta și nu-mi dau seama?

O altă întrebare grozavă este: *Ce e în regulă cu asta și nu-mi dau seama?*

Există aspecte din viaţa ta unde crezi că ai doar alegerea asta sau asta? Crezi că trebuie să alegi una din cele două feţe ale monedei, în loc să ai capacitatea infinită de a face orice? Te vezi pe tine ca pe un grăunte în univers întrebându-te: *Ce nu e în regulă cu mine?*

Ce face asta pentru tine? Te plasează în finit. Nu devii fiinţa infinită care eşti cu adevărat şi elimini posibilităţile pentru schimbare. În loc să întrebi: *Ce nu e în regulă cu mine?* întreabă: *Ce e în regulă cu asta şi nu-mi dau seama?*

Când Dain şi cu mine am început să lucrăm împreună, el locuia cu mine şi cu fosta mea soţie. După un timp, el şi-a găsit o locuinţă iar eu l-am ajutat să se mute. Când descărcam ultimele cutii, proprietara spaţiului pe care îl închiriase Dain şi-a făcut apariţia cu o falcă-n cer şi una-n pământ spunând: „Nu te poţi muta aici. Ieşi afară! Nu am fost de acord cu asta. Nu poţi să ai locul ăsta!"

Disperat, Dain a întrebat: „Ce e în neregulă cu mine că nu pot face asta să funcţioneze?"

I-am spus: „Întrebarea greşită, amice. *Ce e în regulă cu asta şi nu-ţi dai seama?*"

Ei bine, s-a dovedit că proprietara spaţiului, care locuia în acelaşi loc, vorbea non-stop şi era total nebună. În loc să rămână acolo, el a obţinut un apartament cu două camere mult mai drăguţ, care dădea spre un parc, într-o zonă frumoasă din oraş şi care îi permitea să lucreze de acasă fără să mai închirieze un birou.

Totul a ieşit mult mai bine decât aranjasem noi pentru că atunci când totul s-a dus de râpă el a fost dispus să întrebe: *Ce e în regulă cu asta şi nu-mi dau seama?*

Tu, ca fiinţă, nu ai putea face nimic greşit – pur şi simplu nu ai face asta. Dar e posibil să fie ceva în regulă cu situaţia respectivă şi tu să nu vezi asta. Cum descoperi despre ce este vorba? Întreabă: *Ce e în regulă cu asta şi nu-mi dau seama?* Orice ar fi asta, întrebarea cere conştienţă şi capacitate nelimitată de a percepe şi a privi. Foloseşte această întrebare pentru a debloca posibilităţi de schimbare în viaţa ta.

Cum devine mai bine de-atât?

Iată o întrebare pe care să o pui zilnic. Când o foloseşti într-o situaţie neplăcută, obţii claritate despre cum să schimbi lucrurile iar atunci când o foloseşti într-o situaţie plăcută, pot apărea tot felul de lucruri interesante.

La New York, o doamnă a ieşit de la o clasă Access şi a găsit o monedă de 10 cenţi în faţa uşii de la lift. A spus: „Ah, cum devine mai bine decât?" şi a pus moneda în buzunar. A coborât pe scări, a ieşit din clădire iar pe stradă a găsit o bancnotă de 10 dolari. A pus-o în buzunar şi a zis: „Cum devine mai bine de-atât?" În drum spre metrou a ales să cheme un taxi care să o ducă până în faţa clădirii unde locuia. Când a ieşit din taxi a zărit ceva strălucitor în canalul de lângă bordură. S-a aplecat şi a scos o brăţară cu diamante. În acest moment a zis: „N-are cum să fie mai bine decât atât" ceea ce a fost o mare greşeală. Când spui asta, asta e tot ce este. Altminteri, cine ştie, poate până acum ar fi fost proprietara clădirii Empire State.

Nu-ţi garantez că vei transforma o monedă de 10 cenţi într-o brăţară cu diamante dar nu ai de unde să ştii ce se va întâmpla. Doar continuă să întrebi: *Cum devine mai bine de-atât?*

PERCEPE, ŞTII, FII ŞI PRIMEŞTE

Vrei să ştii ce-ţi va face jobul mai bun sau cum să-ţi îmbunătăţeşti situaţia cu banii sau afacerea sau relaţia? În orice aspect al vieţii tale care nu funcţionează pentru tine există ceva pe care nu îl percepi, nu-l ştii, e ceva ce nu eşti sau e ceva pe care nu-l primeşti.

Cum putem noi să spunem asta? Pentru că ştim că tu eşti o fiinţă infinită. Ca şi fiinţă infinită tu dispui de capacitatea infinită de a percepe, a şti, a fi şi a primi. Asta înseamnă că, pentru a-ţi crea viaţa ca limitarea care a devenit, trebuie că există lucruri pe care nu eşti dispus să le percepi, să le ştii, să fii şi să le primeşti.

Rosteşte cele de mai jos de 30 de ori, timp de 30 de zile:

Percep, știu, sunt și primesc ceea ce refuz, nu îndrăznesc, nu trebuie niciodată și trebuie, de asemenea, să percep, să știu, să fiu și să primesc care îmi va oferi claritate și ușurință totală cu_____. Sau poți folosi varianta simplificată: *Ce trebuie să percep, să știu, să fiu și să primesc și care mi-ar permite să_____?*

Poți să pui orice în spațiul liber. Această întrebare începe să deblocheze zonele în care nu-ți faci simțită prezența.

Dacă faci asta de 30 de ori pe zi timp de 30 de zile, pe la sfârșitul celei de a treia zile sau pe la începutul celei de a patra zile, vei începe să privești lucrurile într-o manieră inspirată. Te vei întreba dintr-odată: *De ce nu m-am gândit la asta până acum?* Nu te-ai putut gândi la asta pentru că ai refuzat, sau nu ai îndrăznit sau ai crezut că nu trebuie să percepi sau să primești ceva vreodată, ori ai crezut că trebuia să percepi sau să primești ceva pentru ca să ajungi în situația aceea.

Această întrebare simplă te va ajuta să-ți deblochezi limitările.

Percep, știu, sunt și primesc ceea ce refuz, nu îndrăznesc, nu trebuie niciodată și trebuie, de asemenea, să percep, să știu, să fiu și să primesc care îmi va oferi claritate și ușurință totală cu_____. De 30 de ori pe zi și va începe să schimbe orice aspect al vieții tale care nu funcționează așa cum ți-ai dori tu să funcționeze.

AI ZECE SECUNDE CA SĂ-ȚI TRĂIEȘTI RESTUL VIEȚII

Ai zece secunde să-ți trăiești tot restul vieții. Lumea este plină de lei, tigri, urși și șerpi veninoși care urmează să te devoreze. Ai zece secunde. Ce vei alege?

Dacă faci totul în viață în incremente de 10 secunde, vei descoperi că nu poți lua o decizie greșită. Dacă ești furios timp de 10 secunde și apoi renunți la furie, nu vei face alegeri greșite. Dacă iubești timp de 10 secunde, poți să iubești pe oricine și orice în intervalul acesta de timp, indiferent cine sunt ei. Poți să urăști pe cineva timp de 10 secunde. Poți să divorțezi de soțul sau soția ta pentru 10 secunde. Și-i poți iubi din nou în următoarele 10 secunde.

Dacă trăiești în incremente de 10 secunde vei crea din timpul prezent. Majoritatea oamenilor, în loc să trăiască în prezent, încearcă să conceapă un plan și un sistem pentru ca viitorul să arate așa cum vor ei. Dar este un singur loc unde putem să trăim iar acesta este chiar aici, chiar acum. Orice altceva, te omoară. Nu ai viață. Îți ratezi propria viață.

Oamenii au întrebat: „Cum poți să faci afaceri în incremente de 10 secunde?" În 10 secunde poți decide dacă vrei să vorbești cu persoana aceea sau nu. Poți să știi dacă persoana respectivă este disponibilă sau nu. Poți știi. Incrementele de 10 secunde te forțează să nu mai gândești și să recurgi la *a ști*.

În 10 secunde poți începe să distrugi condiționarea care te face să înțelegi lucrurile și să plănifici în avans. Poți învăța cum să alegi și cum să fii prezent. Nu poți să critici în 10 secunde, pentru că acum e aici și acum a dispărut. Ne prelungim agonia în viață judecându-ne pe noi și încercând să reparăm ceea ce am judecat. Dar cum ar fi dacă ai spune doar: „Ei bine, am făcut asta timp de 10 secunde, acum ce mi-ar plăcea să aleg?"

Când faci ceva care crezi că e rău, cât timp te pedepsești pentru asta? Cât de mult te obsedează asta? Zile? Săptămâni? Luni? Ani? Dacă trăiești în incremente de 10 secunde, nu poți să faci acest lucru. Desigur, nici nu-ți amintești nimic. Dar asta e vestea bună.

Dacă practici arta de a face alegeri în viață în incremente de 10 secunde, vei începe să creezi alegere și oportunitatea de a primi bani. Majoritatea dintre noi creăm bazându-ne pe obligație. Spunem: *„Ei bine, trebuie să fac asta și trebuie să fac și asta și trebuie să fac și asta."* Dar sunt acestea lucrurile pe care vrem cu adevărat să le facem? De obicei, nu sunt dar le alegem în continuare. De ce? Pentru că așa credem că trebuie. Credem că suntem obligați să le facem pentru că altfel nu ne va plăti nimeni. Credem ideea că toți ceilalți sunt mai importanți decât noi. Dacă ai avea 10 secunde să-ți alegi restul vieții, ce ai alege?

Ai alege sărăcia? E doar o alegere, nici proastă, nici nebunească. Atunci când trăiești în incremente de 10 secunde, poți să alegi din nou. Nu trebuie să rămâi blocat în sărăcie.

Ai 10 secunde, ce alegi? Avuție? Bine, aceste 10 secunde s-au terminat. Ai 10 secunde să-ți trăiești restul vieții, ce alegi? Râsul? Bucuria? Conștiința?

DISTRUGE-ȚI ȘI DECREEAZĂ-ȚI VIAȚA

Un lucru pe care ar fi bine să-l faci este să începi fiecare zi de la zero. Să-ți creezi viața în fiecare zi. Asta înseamnă că, în fiecare dimineață, trebuie să distrugi și să decreezi tot ce ai fost ieri. Dacă ai o afacere, o distrugi și o decreezi în fiecare dimineață. Dacă, în fiecare zi, distrugi și decreezi totul în situația ta financiară, vei începe să creezi mai mulți bani. Vei crea azi. Asta este parte din a trăi în incremente de 10 secunde. Când trăiești în prezent, nu încerci să-ți dovedești că decizia pe care ai luat-o a fost una corectă; îți creezi viața pas cu pas, tot timpul.

Avem tendința să ne spunem: *Bine, am creat mormanul acesta minunat de rahat și nu vreau să-l decreez. O să-l ignor și mă duc în altă parte și acum o să creez altceva.* Chestia e că mormanul de rahat rămâne tot acolo și cu fiecare zi în care îl ignori miroase din ce în ce mai intens până când, în final, este atât de copleșitor încât trebuie să iei măsuri.

Distruge-ți și decreează-ți relația

Dacă ai o relație și o distrugi și o decreezi în fiecare zi, o vei crea de la zero în fiecare zi. Te menține în dimensiunea creativă a lucrurilor. Am lucrat cu un cuplu, erau căsătoriți de 26 de ani, iar în cel de al 27-lea an de căsnicie au ales ca, în loc să aniverseze căsătoria, să distrugă și să decreeze relația în totalitate. Fac acest lucru de atunci încoace și spun că viața lor sexuală e din ce în ce mai bună și mai frecventă.

Fiica lor de 17 ani le-a spus: „Nu vreți să nu vă mai comportați precum niște adolescenți în călduri? Sunteți dezgustători. Vreți să faceți asta tot timpul." Asta în contextul în care sunt căsătoriți de 27 de ani. Atunci când distrugi şi decreezi tot ce ai creat, ceea ce apare este ocazia de a crea ceva complet nou.

Când am decis să distrug şi să decreez relaţia cu copiii mei, s-a întâmplat ceva interesant şi neaşteptat. Fiul meu cel mic întârzia tot timpul. Puteai să garantezi că va întârzia între jumătate de oră până la o oră, absolut oriunde. La trei zile după ce am distrus şi am decreat relaţia cu el, m-a sunat şi mi-a spus: „Tata, vrei să luăm micul dejun împreună?"

Am spus: „Sigur, fiule, când vrei?"

El a zis: „În aproximativ 20 de minute."

Am zis: „Bine, în regulă."

Eram cu Dain şi el a spus: „Avem cel puţin 40 de minute." Aşa că am tras de timp în următoarele 45 de minute.

Când am ajuns la locul de întâlnire, fiul meu era acolo şi bătea din picior aşa cum făceam eu când întârzia el. A spus: „Unde ai fost? Te-aştept de 20 de minute!"

Mi-am zis: „Dumnezeule! Au venit extratereştrii azi-noapte şi l-au luat. Acesta nu e fiul meu. El nu ajunge niciodată la timp!"

Începând de atunci, a continuat să ajungă la vreme. E nespus de ciudat. După ce am distrus şi am decreat relaţia mea cu el, nu a mai întârziat.

A distruge şi a decrea nu înseamnă că trebuie să distrugi ceva în plan fizic. Nu înseamnă că trebuie să-ţi închei relaţia. Ceea ce distrugi şi decreezi sunt deciziile legate de relaţie astfel încât să ai claritate mai mare cu privire la ce este posibil. Distrugi şi decreezi deciziile şi judecăţile, neplăcerile şi intrigile, proiecţiile şi aşteptările pe care le ai, precum şi toate lucrurile care ai decis că se vor întâmpla în viitor.

Cum faci asta?

Cum faci acest lucru? Spui: *Tot ce am fost ieri, distrug și decreez acum.*
Poți să distrugi și să decreezi orice. Poți să spui: *Tot ce a fost relația mea
ieri (sau afacerea mea, sau situația mea financiară) distrug și decreez
acum.*

Ce altceva este posibil?

Îți amintești cum era când erai copil? Îți începeai fiecare zi gândindu-te
la ce erai obligat să faci? Sau voiai să te distrezi și să te joci? Dacă distrugi
și decreezi în fiecare zi ce este viața ta, poți să te dai jos din pat în fiecare
dimineață și să întrebi: *Ei bine, ce fel de posibilități pot să creez astăzi?*
Dacă faci asta, vei crea o realitate complet diferită. Vei crea cu entuziasmul
tinereții pentru că nu vei mai fi cel care ai fost ieri.

Cine sunt azi și ce aventură măreață și glorioasă voi avea?

O altă întrebare pe care o puteți folosi, după ce v-ați distrus și decreat
viața, este: *Cine sunt azi și ce aventură măreață și glorioasă voi avea?*
Dacă ați distrus și ați decreat ziua de ieri, atunci începeți să vă creați viața
ca pe o aventură, în loc de o obligație.

ADEVĂR ȘI MINCIUNI

Adevărul te face întotdeauna să te simți mai ușor. O minciună te face să
simți o apăsare.

Dacă ceva e apăsător, este o minciună pentru tine, indiferent dacă este
minciună și pentru altcineva sau nu. Nu-ți da puterea nimănui spunând
că ei știu mai mult decât tine. Tu ești sursa.

Ori de câte ori atenția ta se blochează în ceva, ai un adevăr cu o minciună
atașată. Întreabă: *Ce parte din asta este adevăr și ce parte este o
minciună, rostită sau nerostită?*

Ce parte este adevăr?

Majoritatea minciunilor în care ni se blochează atenţia sunt minciunile nerostite. Ne gândim la ele în permanenţă. Dacă un gând apare în mod repetat întreabă: *Ce parte este adevăr?* iar răspunsul te va face să te simţi mai uşor.

Care este minciuna, rostită sau nerostită, care este ataşată?

Apoi întreabă: Care este minciuna, rostită sau nerostită care este ataşată acestui gând? Când detectezi minciuna, întregul mecanism se desface. Devine adevăr iar tu te eliberezi din minciună.

Aveam un prieten care era un vindecător magic. Putea face miracole doar oferindu-ţi un simplu masaj. Putea să-ţi vindece corpul. A fost la clasa Fundaţia Access şi apoi la Access Nivelul I după care a spus că nu-şi poate permite clasele Nivelul II şi III.

I-am spus: „Îţi ofer eu clasele pentru că eşti un prieten atât de bun şi chiar vreau să le ai.”

El a spus: „Grozav” dar nu a venit la clase.

I-am telefonat de mai multe ori dar nu mi-a răspuns.

După aproximativ două săptămâni, mă simţeam ciudat în legătură cu situaţia aceasta şi m-am dus la soţia lui la birou iar el era acolo.

I-am spus: „Vrei să facem o plimbare?”

El a spus: „Bine”.

L-am întrebat: „Aşadar, ce s-a întâmplat că nu ai venit la clasă?”

Mi-a răspuns: „Ei bine, m-am gandit să vin şi apoi am realizat că vocaţia mea este să vând vitamine”.

Să vândă vitamine? Asta e vocaţia lui? M-am gândit: *Asta nu mă face să mă simt uşor. Care este adevărul aici?* Nu l-am provocat dar m-am întrebat: *Tocmai ai primit gratuit o clasă în valoare de 1.400$ şi ai refuzat-o. Ce se petrece?* Am plecat într-o stare de confuzie. Am continuat să mă gândesc la asta.

Adevărul este . . .

Două zile mai târziu mi-am zis: *Stai puţin! Adevărul este că nu a făcut clasa.*

Minciuna rostită

Apoi am depistat minciuna rostită care era că el voia să vândă vitamine.

Minciuna nerostită

Apoi am ajuns la minciuna nerostită care era că era *alegerea lui* să nu vină la clasă.

În realitate, soţia lui era cea care nu voia ca el să meargă la clasă. Am înţeles că soţia lui deţine puterea în familia lor şi nu vrea ca el să aibă putere pentru că asta ar însemna că ar putea să o părăsească.

El e mai tânăr, arată bine iar ea nu a priceput că el o iubeşte pentru ea. Ea credea că el stă cu ea pentru că ea făcea mai mulţi bani şi decisese că e mai bine să-l menţină în starea de neputinţă.

De îndată ce mi-am dat seama de asta, am ştiut ce se petrece şi nu m-am mai gândit niciodată la această situaţie.

Folosiţi acest proces cu gândurile recurente. Întrebaţi-vă: *Ce parte din asta este adevăr?* Răspunsul vă va face să vă simţiţi mai uşori. Apoi întrebaţi: *Care este minciuna, rostită sau nerostită, ataşată de asta?* Cel mai adesea, minciuna care vă zgândără este o minciună nerostită. Depistaţi care este minciuna şi vă veţi elibera de ea.

PUNCT DE VEDERE INTERESANT

Când te afli într-un spațiu de non-judecată, recunoști că ești totul și nu judeci nimic deci nici pe tine. Pur și simplu, nu există judecată în universul tău. Există permisivitate totală pentru toate lucrurile.

Când ai permisivitate, tu ești ca piatra din râu. Gânduri, idei, credințe, atitudini și emoții vin spre tine și te ocolesc iar tu ești în continuare piatra din râu. Totul este un punct de vedere interesant.

Acceptarea este diferită de permisivitate. Dacă ești în starea de acceptare, atunci când gândurile, ideile, credințele, atitudinile și emoțiile vin spre tine și tu ești în râu, te iau pe sus. În acceptare, ori te aliniezi și ești de acord, care este polaritatea pozitivă, ori te opui și reacționezi, care este polaritatea negativă. În ambele cazuri, devii parte din râu și ești dus de ape.

Dacă ești în permisivitate față de ce spun eu, poți să zici: *„Ei bine, ăsta e un punct de vedere interesant. Mă întreb dacă este ceva adevăr în asta."* Te duci în întrebare în loc să reacționezi. Când te opui și reacționezi la puncte de vedere sau te aliniezi și ești de acord cu puncte de vedere, atunci creezi limitare. Abordarea care nu te limitează este *Punct de vedere interesant.*

Cum arată asta în viața de zi cu zi? Tu și prietenul tău mergeți pe stradă iar el îți spune: „Sunt falit." Tu ce faci?

„Vai, săracul de tine!" este aliniere și acord.

„Ești!" este opoziție și reacție. Știi că-ți va cere un împrumut.

Punct de vedere interesant este: „Serios?"

Te irită cineva? El sau ea nu sunt problema. Tu ești. Atât timp cât ai orice fel de stare de iritare, ai o problemă. Închide-te în baie și spune cu voce tare sau în gând: *Interesant punct de vedere că am acest punct de vedere* pentru fiecare punct de vedere pe care îl ai despre ei până când treci peste asta și poți să fii în permisivitate. Atunci ești liber.

Nu este vorba despre cum reacționează ceilalți față de tine. Este despre cum să fii în permisivitate față de ei, indiferent cât sunt de nebuni. Trebuie să ai permisivitate față de nivelul la care se află cealaltă persoană, pentru ca ea să se poată schimba.

Nu trebuie să te aliniezi sau să fii de acord cu ei sau să-i iubești și nici nu trebuie să li te opui și să reacționezi și să-i urăști. Niciuna dintre stările acestea nu este reală. Tu doar permiți, onorezi și respecți punctul lor de vedere, fără să-l crezi. A fi în permisivitate față de cineva nu înseamnă că ești preș de șters picioarele. Trebuie doar să fii ceea ce este.

Cel mai greu lucru este să ai permisivitate față de tine însuți. Tindem să ne judecăm, și să ne judecăm, și să ne judecăm pe noi înșine. Ne blocăm în încercarea de a fi părinte bun sau partener bun sau orice altceva și ne judecăm întotdeauna. Dar putem avea permisivitate față de propriul nostru punct de vedere. Putem spune: *Am avut acest punct de vedere. Interesant. Am făcut asta. Interesant.*

Când ești în permisivitate, totul devine un punct de vedere interesant. Nu-l accepți, nu i te opui. El doar există. Viața devine din ce în ce mai ușoară.

TOTUL ÎN VIAȚĂ VINE LA MINE CU UȘURINȚĂ, BUCURIE ȘI GLORIE

Mantra noastră în Access este: Totul în viață vine la mine cu ușurință, bucurie și glorie. Nu este o afirmație pentru că nu este despre a avea doar ce este pozitiv. Include ce e bun, ce e rău și ce e urât. Primim totul cu ușurință și bucurie și glorie. Nimic nu trebuie să fie dureros, cu suferință și cu sânge, cu toate că acesta e modul în care majoritatea dintre noi ne trăim viața. În schimb, te poți distra. Cum ar fi dacă scopul vieții ar fi să te distrezi? Totul în viață vine la mine cu ușurință, bucurie și glorie.

Spune-o de zece ori dimineața și de zece ori seara și-ți va schimba viața. Pune-o pe oglinda din baie. Spune-i partenerului tău că se află acolo pentru ca să-ți amintești de ea. Va schimba și viața partenerului tău doar pentru că el sau ea trebuie să o privească.

Ghici ce? Ne căsătorim!

O doamnă m-a sunat și mi-a zis: „Vreau ca prietenul meu să mă ia de nevastă. Cum pot face să se întâmple asta?"

I-am spus: „Draga mea, nu sunt clarvăzător și nici vrăjitor. Singurul lucru pe care ți-l sugerez este să pui *Totul în viață vine la mine cu ușurință, bucurie și glorie* pe oglinda din baia unde se bărbierește el în fiecare dimineață și cine știe?" După trei săptămâni m-a sunat și mi-a spus:

„Ghici ce? Ne căsătorim!"

Bunico, ce-i asta?

O bunicuță din Noua Zeelandă care face Access, ne-a spus că nepotul ei a văzut *Totul în viață vine la mine cu ușurință, bucurie și glorie* pe ușa frigiderului ei și a întrebat-o: „Bunico, ce este asta? Pot să o folosesc?"

Ea i-a răspuns: „Este din Access și o poți folosi – doar să le spui oamenilor de unde provine."

Nepotul, care este directorul unei companii de aparate frigorifice, i-a pus pe oamenii din departamentul de vânzări să o spună împreună, de zece ori în fiecare dimineață iar în opt săptămâni vânzările lor au crescut de la 20.000$ lunar la 60.000$ lunar. Asta fără să schimbe nimic altceva.

Nepotul i-a spus agentului de vânzări cu cele mai slabe rezultate cum să folosească întrebarea *Cum devine mai bine decât atât?* Tipul a început să o spună de fiecare dată când făcea o factură iar vânzările lui au crescut de la 7.000$ lunar la 20.000$ lunar.

Acești oameni nu auziseră niciodată de Access și habar n-aveau de unde proveneau instrumentele dar le-au *folosit* și au trăit schimbări mari în modul în care banii au curs în viețile lor. La fel poți face și tu.

IMAGINEAZĂ-ȚI CE AI VREA SĂ FIE JOBUL TĂU

ÎȚI PLACE JOB-UL PE CARE ÎL AI?

Majoritatea oamenilor, când primesc un job, decid că trebuie să accepte orice le oferă angajatorul. Ei cred că, dacă angajatorul îi tratează prost, ei trebuie să accepte. Așa stau lucrurile. Dacă nu le place, pot pleca. Majoritatea oamenilor aleg să rămână în joburile lor chiar și atunci când nu le place ceea ce fac pentru că își imaginează că dacă sunt suficient de norocoși să aibă un job, atunci mai bine să țină cu dinții de el. S-ar putea să nu mai aibă altul. Ați suferit și voi vreodată de acest mod de gândire? *Dacă primesc acest job, mai bine să mă țin de el pentru că s-ar putea să nu mai primesc altul.* Ce să mai vorbim despre a trăi în posibilități infinite...

Creează-ți viziunea despre cum ai vrea să arate jobul tău

În loc să accepți un job care nu-ți place și să înduri condiții care te fac nefericit, creează-ți viziunea a cum ai vrea să arate jobul tău.

Prin viziune ne referim la mai mult decât cum să arate. Este vibrația componentelor care vor face ca el să se realizeze. Cum ai simți jobul tău? Ce ar face parte din el? Cum ar apărea?

Nu doar să-l gândești. Simte-l. Și când apare ceva care se simte la fel, mergi în direcția aceea. Când ceva nu corespunde acelei senzații, nu merge într-acolo. Dacă se simte doar parțial ca acea stare dar nu este așa în totalitate, nu merge în direcția aceea. În momentul în care îți iei un job ca să supraviețuiești, atunci supraviețuirea este singurul lucru pe care îl vei obține. Nu cădea pradă lui *Trebuie să plătesc facturile.*

Înainte să încep să fac Access, mi-am zis: „Bine, mi-ar plăcea un job în care să pot să călătoresc cel puțin două săptămâni pe lună. Mi-ar plăcea să câștig minim 100.000$ pe an. Mi-ar plăcea să lucrez cu oameni realmente interesanți și să nu mă plictisesc niciodată. Mi-ar plăcea să lucrez ceva care se schimbă mereu și crește și devine din ce în ce mai distractiv. Mi-ar plăcea un job care, pe lângă toate celelalte, este despre a facilita oamenii să devină mai conștienți despre ce le-ar plăcea să creeze în viețile lor.

Acestea sunt lucrurile pe care le doream. Am plasat o bulă cu toate aceste dorințe în fața mea și am tras energie în ea din tot universul până când am simțit-o devenind mai consistentă și apoi am lăsat mici firicele de energie să plece din ea către toți oamenii care, probabil, mă căutau și nu știau asta. De fiecare dată când întâlneam în viață ceva care conținea acele aspecte sau emoții îl urmam, fie că avea sens pentru mine sau nu. Am făcut o serie de lucruri diferite dar fiecare lucru pe care l-am făcut m-a condus mai aproape de a face ceea ce fac azi. Orice se simțea ca ceea ce cerusem, făceam și asta mă conducea la următorul lucru. Datorită acestor lucruri am ajuns să fac Access. Prima situație care apare e posibil să nu fie pasul final dar așa alegi lucrurile care reprezintă pașii tăi spre reușită.

Într-o zi, am fost undeva unde mi s-a cerut să primesc un mesaj prin *channeling*.

Am întrebat: „Ce e aia? Trebuie să stau cu ochii deschiși? Trebuie să mă dezbrac? Trebuie să-ți ating corpul?” și: „Voi fi plătit?”

Persoana a spus: „Vreau doar să faci channeling pentru maseurul meu.”

Am spus: „Ah, bine, în regulă. Pot să fac asta."

Am făcut asta şi am început să folosesc instrumentele care au devenit ulterior Access. De atunci, Access a crescut din om în om. Nouăzeci la sută din cei care vin la Access aud despre asta de la un prieten, profită de oportunitatea aceasta şi continuă să meargă înainte cu Access. De ce creşte aşa? Pentru că sunt deschis la asta, pentru că sunt dispus să primesc orice este şi pentru că ies din zona mea de confort şi devin altceva.

Cum ar arăta un job care ar genera sume de bani din ce în ce mai mari, în mod continuu?

Cum ar arăta sau cum s-ar simţi sau ce gust ar avea un job care ar genera în mod continuu sume de bani din ce în ce mai mari? Cum ar fi dacă nu ar fi vorba despre supravieţuire şi dacă nici măcar nu ţi-ar păsa dacă ai bani pentru asta? Cum ar fi dacă banii nu ar fi argumentul obligatoriu în acest proces? Cum ar fi dacă elementul obligatoriu ar fi abilitatea de a realiza ceea ce îţi doreşti cu adevărat în viaţă? Modul în care te conectezi cu oamenii. Felul în care îi ajuţi să îşi atingă dorinţele şi ţelurile.

Ce ţi-ar plăcea să realizezi în viaţa ta? Acesta este lucrul pe care îl proiectezi. Cum ar fi să faci asta? Aceasta este întrebarea pe care să ţi-o adresezi. Nu întreba: *Cum creez asta? Cum* creează nevoia de a înţelege iar nevoia de a înţelege creează o limitare.

Cere universului să te ajute

Cere-i universului să te ajute. Spune: „*Aş vrea un job care are asta - şi asta - şi asta - şi asta.*" Începe să tragi energie în această viziune din tot universul până când se simte cum creşte, apoi lasă firicele subţiri să pornească de acolo înspre toţi acei oameni care te caută şi nu ştiu asta. De fiecare dată când apare în viaţa ta ceva care se simte precum acea viziune, urmeaz-o!

Toate lucrurile sunt posibile. Tu eşti o fiinţă care nu cunoaşte limite. Ai posibilităţi nelimitate. Alege ce ţi-ar plăcea să ai în viaţa ta.

CUM ÎMI POT FOLOSI TALENTELE ŞI ABILITĂŢILE CA SĂ CREEZ BANI?

Cu mulţi ani în urmă, am avut o afacere de tapiţerie mobilier şi am descoperit că aveam ceea ce s-a demonstrat a fi un talent unic. Mă uitam la covorul sau la draperiile unui client şi ştiam exact ce culori vor fi necesare ca să se asorteze cu ele şi, în acelaşi timp, păstram o imagine clară cu acestea în mintea mea. Şase luni mai târziu găseam întâmplător un material care avea exact aceeaşi culoare ca şi covorul clientului meu. Sunam clientul, îi spuneam că am găsit materialul de care avea nevoie şi el spunea: „Grozav. Poţi să îl cumperi pentru noi? Ce metraj avem nevoie pentru scaunul nostru?"

Îi spuneam şi cumpăram materialul. Îl taxam pentru asta? Nu. De ce? Nu recunoşteam această abilitate ca fiind ceva special. Îmi imaginam că oricine altcineva putea face ceea ce făceam eu aşa că nu putea să valoreze bani. Aşa se întâmplă adesea cu abilităţile şi talentele noastre. Ne vin atât de uşor încât nu le acordăm mare valoare. Nu vedem valoarea pe care o au pentru alţii. Care este acel lucru pe care îl faci atât de incredibil de uşor încât nu cere niciun efort? Ce este atât de uşor pentru tine încât crezi că oricine îl poate face? Desigur, realitatea este că nimeni altcineva nu-l poate face. Trebuie să începi să te întrebi: *„Bine, care este talentul şi abilitatea, lucrul pe care eu îl pot face cu uşurinţă şi care cred că nu are valoare?"* Acela este lucrul – cel pe care îl faci cu uşurinţă, lucrul care crezi că nu are valoare – care probabil este cel mai valoros talent pe care îl ai. Dacă începi să-l foloseşti pentru a crea bani, vei avea un succes uimitor.

Pe vremea când lucram în imobiliare, cunoşteam o doamnă care lucra pentru o mare firmă din acest domeniu. Îi plăcea foarte mult să gătească. Gătea mâncăruri extraordinare pentru prietenii ei şi făcea nişte deserturi nemaipomenite, cum nu ai mai gustat. De fiecare dată când organiza un eveniment la ea acasă servea unul dintre deserturile ei şi fiecare agent din oraş era prezent.

Într-o zi, cineva i-a spus: „Eşti un bucătar grozav. Ar trebui să deschizi o brutărie." Şi a deschis una – iar acum este multimilionară. Până când nu i-a atras cineva atenţia asupra talentului ei unic, ea nu i-a dat mare importanţă. Îi plăcea, pur şi simplu, să gătească. Dar pentru că cineva i-a spus în cele din urmă: „Ceea ce faci este grozav. Ar trebui să-ţi deschizi o brutărie" atunci a priceput şi ea. A părăsit lumea imobiliarelor unde câştiga aproximativ 100.000$ pe an iar acum câştigă milioane. Face ceea ce iubeşte să facă.

Fă ceea ce iubeşti să faci

Vrei să faci ceea ce iubeşti să faci şi nu ce te pasionează. Ştii de unde provine cuvântul *pasiune*? Provine din cuvântul grecesc care denumeşte *suferinţă* şi *martiriu*; era folosit pentru a se referi la suferinţa şi crucificarea lui Cristos. Asta înseamnă Pasiunea. Dacă vrei să fii bătut în cuie pe cruce, urmează-ţi pasiunea. Uită-te la definiţiile originale ale cuvintelor pe care le foloseşti pentru că le identificăm şi le aplicăm în mod greşit de multe ori, ceea ce înseamnă că credem minciuni despre înţelesul cuvintelor. Este important să cunoaştem adevăratul sens a ceva anume. Oamenii ţi-au spus ani la rând *Urmează-ţi pasiunea*. A funcţionat asta pentru tine? Nu. Trebuie să fie un motiv pentru care nu a funcţionat iar motivul are legătură cu definiţia cuvântului.

Dacă ţi s-a spus că un lucru sau altul va crea un anumit rezultat şi nu funcţionează, caută-i definiţia într-un dicţionar vechi. Ai putea descoperi că rădăcina cuvântului înseamnă exact opusul a ceea ce persoana încerca să-ţi transmită. Dacă energia şi cuvântul nu se potrivesc, este vorba despre o identificare sau o aplicare greşită iar acel cuvânt este greşit definit.

Dacă vrei să faci bani, fă ceea ce iubeşti. Dacă faci ceea ce iubeşti, poţi să faci bani – desigur dacă eşti dispus să primeşti bani pentru iubire. Cu alte cuvinte, trebuie să fii dispus să fii prostituată.

Dar haideţi să ne debarasăm de judecata legată de a fi prostituată. Distrugeţi şi decreaţi judecăţile pe care le aveţi despre a fi prostituată pentru că, sincer, ne prostituăm pentru bani atunci când facem ceva ce *nu* iubim.

ALEGE SĂ FII MAI MĂREȚ

Am lucrat cu o doamnă care avea o mică afacere și care a decis că vrea să o transforme într-una mai mare. A decis că nu va mai fi o afacere mică de-acum încolo. A angajat cea mai scumpă firmă de PR din orașul ei pentru ca să-i promoveze afacerea și, aproape instantaneu, a început să aibă acces la mari corporații. Era prezentă la radio. S-a publicat un articol despre ea într-o importantă revistă de afaceri.

Am întrebat-o ce s-a schimbat iar ea mi-a spus: „Am făcut o alegere."
Am întrebat-o: „Aha, și ce alegere a fost asta?"

Mi-a răspuns: „Am făcut o alegere de a deveni mai mare decât sunt."

Asta este ce trebuie să faci. Trebuie să faci alegerea de a deveni mai mare decât ai fost dispus să fii.

Când am început să promovez și să dezvolt Access, am decis că trebuia să fiu mai excesiv. A trebuit să ies în față și să devin mai mult decât eram dispus să fiu. A trebuit să ies în evidență și să fiu mai mult și să devin controversat. A trebuit să fiu dispus să fiu o prezență care să zguduie viețile oamenilor într-un anume fel.

Odată ce am luat acea decizie, afacerea mea a început să crească pentru că eram dispus să fiu mai mult. Alegerea de a fi mai mult este cea care face ca afacerea ta să crească. Nu înseamnă că trebuie să te duci să angajezi o firmă de PR. Sunt alte moduri în care să faci asta.

Lucrul important este să iei decizia iar apoi vor apărea în viața ta căile prin care să o pui în aplicare. Atunci când nu ești dispus să-ți iei angajamentul de a fi mai măreț decât ești cu adevărat, te blochezi în același loc în care te-ai aflat mereu și în care vei continua să te afli.

Vorbesc despre disponibilitatea de a fi mai mult, sub toate aspectele. Trebuie să nu mai refuzi să fii tot ceea ce ești cu adevărat. Te-ai definit pe tine într-o mare măsură, nu-i așa? Sunt asta – sunt asta - sunt asta. A deveni mai mult înseamnă că trebuie să sfidezi, să învingi și să distrugi acele definiții vechi despre tine însuți.

Doar azi, voi fi mai măreț decât am fost ieri

În fiecare dimineață când te trezești, începe prin a distruge și a decrea fiecare definiție pe care o ai despre tine iar apoi spune: *Doar azi, voi fi mai măreț decât am fost ieri.*

DACĂ VEI FI O PERSOANĂ DE SUCCES, CINE AR TREBUI SĂ FII?

Crezi că trebuie să fii altcineva pentru ca să ai succes? Un actor trebuie să devină altcineva – dar tu, trebuie? Gândește-te la toate identitățile pe care le-ai creat pentru a-ți asigura, chipurile, succesul. Te-a ajutat asta? Sau a făcut să fie mai dificil să ai succesul pe care îl vrei? Te-ai pierdut, de fapt, pe tine în acest proces?

Dacă e să ai succes, cine trebuie să fii? Răspunsul este că trebuie să fii tu însuți. Trebuie să fii tu. Pentru a avea succes trebuie să te regăsești și să revendici și să-ți asumi capacitatea de a te arăta ca tine însuți. Și trebuie să distrugi tot ce nu-ți permite să percepi, să știi, să fii și să primești cine, ce, unde, când, de ce și cum ești cu adevărat.

Ce anume trebuie, de asemenea, să percep, să știu, să fiu și să primesc?

Când Access era la început, am pus în mod continuu întrebarea: *Ce trebuie, de asemenea, să percep, să știu, să fiu și să primesc care mi-ar permite mie și Access să creștem cu ușurință?* Am pus această întrebare zilnic, de treizeci de ori pe zi, timp de aproape patru zile. Dintr-odată, am realizat ce anume nu sunt dispus să fac.

Nu eram dispus să fiu un guru pentru oameni. Nu mă interesa să controlez viețile altor oameni. Mă interesa să-mi controlez viața mea. Mă interesa ca viața mea să evolueze. Nu mă interesa să fiu responsabil pentru viața nimănui altcuiva. Faptul că nu eram dispus să apar ca un guru pentru oamenii care voiau asta, limita numărul celor care ar fi putut să vină la Access.

Am descoperit că încercam să dovedesc că nu sunt un guru, diminuându-mă și făcându-mă mai nesemnificativ decât eram în realitate. De îndată ce am văzut ce făceam, am fost dispus să spun: *Bine, pot să par că sunt un guru. Pot să par că sunt orice, dar nu trebuie să fiu acel lucru. Pot doar să par astfel pentru ceilalți.* Am schimbat asta iar Access a început să crească.

Ce mai trebuie să fiu?

Apoi am mers un pas mai departe. Am întrebat: *Deci, ce mai trebuie să fiu?* Mi-am dat seama că trebuia să fiu controversat. Dacă ești controversat oamenii vorbesc despre tine, nu-i așa? Așadar, vestea bună era că eram dispus să fiu cât mai controversat cu putință. Odată, când eram la un post de radio din San Francisco vorbind despre clasa de sex și relații pe care urma să o susțin, am spus: „Și vom vorbi despre sex anal și abuz." La care moderatorul a spus: „Aham…mă scuzați, dl. Douglas…." Asta a fost amuzant.

Dacă nu ești dispus să te expui, poți să primești mai mult?

Pentru că eu sunt dispus să vorbesc despre orice, pentru că sunt dispus să fiu din cale-afară de scandalos și să mă expun într-un fel în care nu eram dispus să o fac înainte, tot felul de oameni apar ca să lucreze cu mine. Dacă nu ești dispus să te expui, poți primi mai mult? Nu, nu poți. Trebuie să fii dispus să fii controversat dacă vrei să-ți faci viața mai bună. Trebuie să fii dispus să faci valuri. Trebuie să fii dispus să distrugi tot ce crezi că este conservator și să fii în afara sistemului de control al realității tale actuale. Cum ar fi viața ta dacă ai fi dispus să faci asta?

Răspunsul este: ai fi expansiv în loc să fii contractat. Cauți toate modurile în care n-ar trebui să faci lucrurile, în loc de modurile în care *ai putea* sau *poți* sau *ar fi posibil* să le faci?

Dacă ești în afara controlului, nu vei da doi bani pe punctul de vedere al altcuiva. Nu vei revendica, deține și recunoaște reguli care nu ți se aplică ție. Dacă ești dispus să încetezi a mai trăi după regulile și reglementările altor oameni, atunci nu va mai trebui să-ți întemeiezi viața pe baza punctului de vedere al altcuiva.

Ce s-ar întâmpla dacă ai fi în afara controlului?

Ce s-ar întâmpla dacă ai fi în afara controlului, în afara definiției, în afara limitării, în afara formei, structurii, semnificației în ceea ce privește crearea vieții tale fabuloase, incredibile și abundente? Ai fi scandalos. Te-ai distra de minune. Viața ar fi despre a trăi bucuria ei. Ar fi despre sărbătoare, nu despre diminuare.

Vrei, te rog, să revendici și să deții capacitatea de a-ți sărbători viața și de a o transforma într-o experiență fericită în fiecare zi, începând cu ziua de azi? Și, vrei te rog, să revendici și să deții abilitatea de a fi în afara controlului?

CUM TE DESCURCI CU OAMENII DIFICILI

ELFI & ȘERPI CU CLOPOȚEI

Un ELF este o persoană care te va submina doar de dragul de a face asta. Ce înseamnă ELF? Evil Little Fuck (de unde provine și acronimul de ELF) este (n.t. în limba engleză = un mic răutăcios nenorocit). Un ELF este o persoană care îți spune: „Ah, ce rochie drăguță. Îmi place de câte ori o porți!" sau „Ce rochie nemaipomenită. Îți stă bine chiar dacă te-ai îngrășat."

Avem tendința să-i vedem pe ceilalți ca fiind ori buni, ori răi. Vrem să vedem binele din ei dar nu și răul. Credem că este nedrept să vedem răul. Este? Sau este prostesc și nesăbuit să nu-l vedem? Este prostesc și nesăbuit. Este, de asemenea, nu foarte conștient. Trebuie să fim dispuși să vedem răul în cineva, la fel ca și binele.

A profitat vreodată cineva de tine? Ai fost folosit pentru banii tăi?

Trebuie să recunoști că există ELFi și șerpi cu clopoței în lume iar unii dintre ei sunt în corp omenesc.

Când un şarpe cu clopoţei se află în corp omenesc, nu vrei să-l iei acasă cu tine pentru a petrece noaptea împreună. Te va muşca de fund într-un fel sau altul şi va lăsa otravă în universul tău.

Recunoaşte întotdeauna ELFii şi şerpii cu clopoţei din viaţa ta. Dacă nu recunoşti ceea ce sunt, nu se pot schimba. Nu pot fi altfel. Noi ştim că nimeni nu este cu totul rău dar vor şerpii cu clopoţei să fie numiţi şerpi-jartiere? Nu, îi scoate din minţi şi vor să te muşte cu atât mai tare. Dacă recunoşti ce sunt şi-ţi spui în sinea ta: *Eşti un şarpe cu clopoţei minunat şi ai diamante fabuloase pe spate şi ... mamă, ce mai zornăi, iar eu o să stau la doi metri de tine întotdeauna* atunci nu vei mai fi muşcat.

Dacă poţi să vezi răul din cineva şi recunoşti asta, este asta o judecată sau este o observaţie? Dacă observi că cineva este dispus să-ţi facă rău, atunci nu vor mai putea să te rănească. Eşti luat prin surprindere doar atunci când nu eşti dispus să te uiţi la ce lucru nedrept, care nu e bun sau care nu e expansiv, ar putea face cineva. Începe să vezi adevărul legat de oameni. Nu cădea pradă ideii că toată lumea e în întregime bună sau în întregime rea.

La clasele noastre au venit oameni care erau exact ca aceşti şerpi. Mă gândeam: *Doamne, te rog, fă ca oamenii aceştia să nu vină* dar ei continuă să revină. Sunt întotdeauna o lecţie importantă pentru că ştiu că, în cele din urmă, vor face ceva răutăcios şi josnic. Dar pentru că ştiu asta, sunt pregătit şi pot să fac faţă situaţiei. Nu fac greşeala de a crede că doar pentru că vin la clasă înseamnă că vor să devină conştienţi. Ştiu că alegerea lor este să fie anti-conştienţi şi, dacă practică anticonştienţa, atunci nu vor fi conştienţi de ceea ce fac şi vor alege să-i dezonoreze pe ceilalţi la fiecare pas.

Cine sunt ELFii şi şerpii cu clopoţei din viaţa ta?

Cine sunt ELFii şi şerpii cu clopoţei din viaţa ta? Vrei să încetezi să te lupţi să vezi binele din ei şi să nu te mai judeci pentru că nu eşti capabil să faci lucrul potrivit pentru ca ei să înceteze a mai fi atât de răutăcioşi şi de josnici?

Dacă vei recunoaşte ELFii şi şerpii cu clopoţei din preajma ta, şi nu prin prisma judecăţii ci din conştientizare, îţi vei crea libertatea de a te feri de ei sau vei şti cum să-i tratezi.

Avem o prietenă care este acupuncturist iar ea a avut o clientă care era un ELF de proporţii. M-a întrebat ce să facă cu ea. I-am spus: „Trateaz-o dar recunoaşte că este un ELF."

Prietena mea m-a sunat după câteva săptămâni şi mi-a spus: „Nu-mi vine să cred! Am crezut că este ultima persoană din lume care s-ar putea schimba dar a venit azi şi mi-a spus: *Am fost o persoană îngrozitoare toată viaţa mea – am fost răutăcioasă şi meschină cu toată lumea. Am decis că vreau să devin mamă şi nu-mi imaginez un copil care şi-ar dori o mamă atât de meschină şi rea cu toată lumea. Mă schimb!*"

Tot ce trebuie să faci este să recunoşti cum este fiecare. Nu trebuie să încerci să-i schimbi.

OAMENI CARE FAC TREABĂ PROASTĂ

Ai cunoscut vreodată oameni care nu-şi îndeplinesc obligaţiile sau care fac o treabă aşa de proastă încât trebuie să angajezi pe altcineva care să termine ce-au început ei? Te-ai întrebat cum ies ei basma curată? Răspunsul este că dacă nu eşti dispus să primeşti tot ceea ce este dispus cineva să facă, inclusiv ce e bun, rău şi greşit, atunci poţi fi înşelat.

La un moment dat, am avut o menajeră. O cunoşteam, era o prietenă. Într-o zi am venit acasă după o zi grea de lucru. Am intrat în casă cu copilul în braţe. Eram epuizat. Casa era mizerabilă.

Am spus: „Credeam că ai făcut curăţenie azi." Ea a spus: „Am făcut. Îmi datorezi 80$."

Am spus: „Pentru ce? Tot ce pot să văd este că blaturile din bucătărie sunt curate şi robinetele strălucesc dar tot restul este o mizerie. Covorul trebuie aspirat. Pardoseala din bucătărie nu a fost curăţată." Ea a spus: „Ei bine, îmi eşti dator."

Am zis: „Cum aşa? Nu ai făcut nimic. Ce te face să crezi că meriţi 80$?"
Ea spune: „Pentru că aşa cred."

I-am spus: „Am crezut că îmi eşti prietenă. Mă faci de 80$ pentru că tu crezi că-i meriţi deşi nu ai făcut curăţenie nicăieri? Ce fel de prietenie este asta?"

Ea a răspuns: „Este doar o afacere. Nu o lua personal."

Ţi-a făcut cineva asta vreodată? *Este doar o afacere.* Nu-i aşa că-ţi place cum sună *Este doar o afacere?* Înseamnă că ei îţi pot face orice vor şi că pot fi pe cât de neetici pe cât aleg iar tu trebuie să accepţi şi greşeşti dacă te ofensezi. Este doar despre afaceri. Nu e personal. Ba da, este personal! Când cineva te înşală este personal!

A profitat cineva de tine aşa? Eşti dispus să fii ferm şi să fii măreţia care eşti şi să le spui: „Nu. Nu accept asta"?

Ar trebui să vezi doar ce e bun în alţii?

Cât din tine trebuie să excluzi pentru ca să nu percepi, să nu ştii, să nu fii şi să nu primeşti în ce situaţie se află fiecare, cu adevărat? Mult sau puţin? Mult. Unii oameni nu vor să creadă asta. Au fost învăţaţi că trebuie să vadă doar binele din alţii dar dacă nu poţi vedea ce este cu adevărat, cum poţi acţiona corespunzător?

Faci ceea ce este potrivit pentru că ai conştientizare. Ştii că: *Ok, e destul de frig ca să-mi iau o jachetă.* Când eşti pe deplin conştient, primeşti toată informaţia. Dacă ieşi în natură aşteptându-te ca ea să aibă grijă de tine, nu eşti dispus să vezi că se va face frig. Nu eşti dispus să vezi că va ploua. Te va uda până la piele? Îţi va fi frig? Da. În viaţa noastră, acolo unde nu percepem ce se va petrece, nu vedem posibilităţile.

Ideea este de a deveni conştient

Ideea este de a deveni conştient. Să-ţi permiţi să primeşti ca atunci când eşti în natură înseamnă să nu-ţi retezi percepţia şi să decizi, contrar tuturor dovezilor: *Ok, aceasta este o persoană cu care e bine să lucrezi.* Dacă decizi că cineva este onest şi apoi îţi spune o minciună, ai să observi acest lucru? Sau vei spune: *Nu, nu se poate să mă fi minţit.* Poate să facă asta de zece ori până când, în final, spui: *Ştii ceva? Nu este cinstită!* Iar apoi, chiar dacă spune ceva adevărat sau nu, tu nu mai poţi să auzi. Nu *mai* eşti conştient.

Ai standarde pe baza cărora defineşti ce poţi să primeşti de la alţii. Dacă elimini standardele şi îţi dai voie să primeşti de la ei totul, atunci nu trebuie să ai o judecată înainte de a-ţi face apariţia. Poţi spune: *Cine se află în faţa mea? Ce se petrece? Ce fac ei?*

Dacă te mint, poţi să spui: *Ah, asta a fost o minciună. Bine, interesant. Mă întreb dacă mai au şi alte minciuni pe care le vor spune.* Poţi începe să vezi despre ce mint. Şi apoi realizezi*: Aha, deci, dacă fac asta atunci vor minţi până când vor obţine toţi banii mei dar în această altă privinţă sunt oneşti. Ok, super. Voi fi de acord cu această parte a înţelegerii dar nu şi cu cealaltă.*

Eşti dispus să primeşti toată informaţia?

Dacă intri într-un magazin care vinde DVD playere şi ceri un anumit model iar vânzătorul îţi spune: „Ah, nu mai avem acel model. Acela este depăşit" îţi spune el adevărul? Dacă eşti dispus să primeşti toată informaţia, aşa cum faci când te afli în natură, vei şti că nu îţi spune adevărul.

Ceea ce se petrece este că nu au acest model în magazin iar vânzătorul vrea să-ţi vândă modelul pe care îl au. Nu vrea să pleci din magazin fără să cumperi ceva. Nici măcar nu-ţi va spune: „Bine, vă pot aduce acel model." El vrea să cumperi ce au ei în stoc. Dacă eşti dispus să primeşti toată informaţia, atunci ştii ce se petrece şi poţi să spui: *Ok, ăsta nu e locul unde să vreau să fac afaceri. Nu-mi vor da ceea ce caut. Nu-i interesează să mă servească. Îi interesează doar să-mi ia banii.*

Ce cauți când vrei să cumperi ceva? Cauți un vânzător care să aibă grijă de tine? Când intri în magazin și cineva e cu adevărat prietenos și-ți spune: „Bună! Mă bucur să te văd. Ce mai faci?", va avea acea persoană grijă de tine? Este sinceră? Nu. Dar cum e când intri undeva și persoana îți spune: „Bună! Ce pot să fac pentru tine?" Dacă îți adresează această întrebare, este posibil să îi intereseze persoana ta.

Cine ți-a dat titlul de Dumnezeu?

Dacă nu recunoști atunci când cineva face ceva impropriu, cu răutate, dușmănos, nedrept, controversat sau malițios, ceea ce faci tu este să iei asupra ta răspunderea. Îți spui: *Dacă aș fi făcut asta diferit, el nu ar fi făcut ceea ce a făcut. Trebuie că am greșit cu ceva. Ce anume e în neregulă cu mine?*

Nu ești dispus să recunoști faptul că tu nu ai face lucruri improprii, nedrepte. E posibil să fii tentat dar nu ai alege asta. Iei vina asupra ta. De ce îți asumi vina? De ce ești tu răspunzător de alegerile altor oameni de a fi răutăcioși și neomenoși? Ești tu răspunzător pentru toată omenirea? Cine ți-a dat titlul de Dumnezeu?

Eu însumi am avut acest punct de vedere. Dacă aș fi Dumnezeu, acest loc ar funcționa în mod corect. Dar, când ai acest punct de vedere, trebuie să te uiți mereu la cum ar fi făcut cealaltă persoană o altă alegere dacă tu ai fi făcut ceva diferit. Nu. Unor oameni le place, pur și simplu, să facă aceste lucruri. Vrei, te rog, să revendici, să îți asumi și să recunoști că unora doar le place să fie răutăcioși?

Când te judeci pe tine, ești conștient?

Când te învinovățești pe tine pentru ceea ce fac sau nu fac ceilalți, pe cine judeci? Pe tine însuți. Și, dacă te judeci pe tine, ești conștient? Ești capabil să vezi că ei aleg să fie răutăcioși pentru că le place? Nu. Presupui că nu ai încercat suficient de mult, că dacă ai fi făcut-o mai bine atunci ei nu ar mai fi fost neomenoși.

Când cineva îți fură banii, se întâmplă asta din cauză că le-ai dat voie? Se întâmplă pentru că nu ai fost vigilent sau pentru că nu te-ai uitat la ei cu suficientă atenție sau din cauză că lor le place să fure? Cui îi place să fure, îi place să fure. Dacă îți e clar faptul că nu ești răspunzător de alegerile pe care le fac ceilalți, atunci vezi ce anume vor face aceștia înainte să o facă.

Spui, pur și simplu: *Ok, ei vor alege asta. Interesant punct de vedere.*

Și apoi, după ce au făcut-o, spui: *Știi ceva? Destul. Nu mai vreau să fac jocul acesta cu tine. Poți să pleci acum sau voi pleca eu.*

Nu încerci să o faci să pară că e în regulă. Nu încerci să menții în existență o prietenie sau o relație de afaceri gândindu-te că, dacă măcar înțelegi despre ce e vorba sau dacă faci ceva mai bine sau dacă te schimbi pe tine, atunci ei vor pricepe și vor înțelege dintr-odată despre ce vorbești tu. Așa ceva nu se va întâmpla.

CE FACI DUPĂ CE AI FOST ÎNȘELAT ÎNTR-O RELAȚIE DE AFACERI?

Ce faci după ce ai fost înșelat în afaceri sau într-o relație? Este mai ușor să te duci după cineva ca să primești ceva înapoi sau este mai ușor să creezi ceva nou? În loc să te uiți la trecut, la ce s-a întâmplat sau nu, concentrează-ți atenția pe ce va crea un viitor în care creezi mai mult decât ai.

Sunt persoane care au furat părți din Access și au creat propriile lor programe bazate pe ce au învățat de la mine. Erau acele lucruri ale lor? Nici măcar o bucățică. Au furat totul de la mine. Au rescris câteva lucruri, au schimbat puțin numele și predau materialul meu ca și când este al lor. I-aș putea da în judecată pentru că este materialul meu cu drepturi de autor dar mai degrabă aș petrece o oră ajutând pe cineva care își dorește să devină conștient decât să mă lupt ca să împiedic pe cineva care nu își dorește să devină conștient. Pe de altă parte, știu că materialele pe care le-au furat nu vor funcționa pentru ei, oricum.

Persoanele lipsite de etică se sinucid în final?

Se vor sinucide, în cele din urmă, persoanele lipsite de etică? Nu. Ele nu cred în karmă. Nu se vor sinucide. Vor continua să înșele pe toată lumea atât timp cât vor putea. Și, după ce mor, vor reveni făcând asta din nou pentru că le place. Vrei să revendici, să îți asumi și să recunoști că unora le place să fie răi și inumani? Este unul dintre lucrurile la care sunt buni. Este punctul lor tare în viață. Când cineva este bun la ceva, va continua să facă acel lucru.

Dacă ești dispus să vezi că cineva este un ELF sau un șarpe cu clopoței, nu se va profita de tine. Nu va fi posibil. Dar pentru că ești blând, iubitor, grijuliu și tot ce mai ești cu adevărat, adesea nu-i vezi pe ceilalți așa cum sunt în realitate. În schimb, te judeci pe tine ca având ceva ce nu e în regulă. Dar realitatea este că nu ești lipsit de etică, nu ești ranchiunos, nu ești rău. Din păcate, asta înseamnă că ești calm și relaxat, o pradă ușoară de care se poate profita și toată lumea te vede ca fraier. Dar ești fraier atât timp cât nu ești dispus să-i depistezi pe oamenii care sunt dispuși să fie răi și vitriolici.

Pot oamenii să profite de tine dacă poți percepe ceea ce vor face?

Atât timp cât ești conștient, nu se poate profita de tine pentru că spui: *Nu, nu voi face asta*. Ai alegere. Atât timp cât ești conștient, nu vei aștepta ca oamenii să facă nimic altceva decât ceea ce fac.

Atunci când ne așteptăm ca oamenii să acționeze așa cum o facem noi, suntem luați prin surprindere. Oamenii vor reacționa așa cum vor reacționa iar tu trebuie să fii dispus să vezi asta. Dacă nu ești dispus să primești această informație, se va profita de tine.

Trebuie să primești toată infomația fără judecată. Uită-te la ce se petrece. Nu e: *Uau, trebuie să fiu atent*. Este: *Uau, trebuie să fiu conștient*. Dacă ești conștient, nimeni nu poate profita de tine dar dacă ești atent, toată lumea poate profita.

Când Dain căuta un BMW, ne-am dus într-un loc unde anunțaseră că este unul de vânzare. Am sunat în dimineața respectivă și ne-au spus că încă este disponibil dar când am ajuns acolo, vânzătorul a spus: „Ah, l-am vândut deja. Nu-i nicio problemă. Avem aceste Porsche Boxster. O mulțime de oameni sună pentru BMW și am făcut chestia asta cu alte zece persoane. I-am pus în această mașină."

„*Le*-am făcut chestia asta" a spus el.

Noi am știut. „La revedere! Mulțumim."

Și am plecat de-acolo.

CUM TE DESCURCI CU ELFii & CU ȘERPII CU CLOPOȚEI?

Cum te descurci cu oamenii dificili precum ELFii și șerpii cu clopoței? Te descurci nefiind atașat de rezultat. Nu te atașezi de rezultat.

Când ceri ceva în viață, orice ceri să primești, nu poți să fii atașat de rezultat. Înțelegi ce vrem să spunem cu asta? Dacă mă gândesc că vreau să obțin un milion de dolari și că trebuie să îi obțin de la tine, sunt atașat de rezultat. Cer cu fermitate: *O să-mi dai milionul de dolari? Dă-mi milionul de dolari!* Asta înseamnă să fii atașat de rezultat.

Trebuie să am un milion de dolari se traduce prin trebuie să mă duc și să fac asta și asta și asta. Vreau un milion de dolari așa că trebuie să fac acest proces de construcție care costă 3 milioane de dolari așa că trebuie să accept rahaturi de la această persoană, trebuie să le permit băncilor să mă exploateze cu fiecare prilej și, în final, totul se va rezolva.

Dar atunci când nu te legi de un rezultat, poți să întrebi: *Care sunt posibilitățile infinite pentru ca un milion de dolari să vină în viața mea în următorii doi ani sau în următorul an sau în următoarele 6 luni?* Dai voie informației să vină la tine, ceea ce îți va permite să o primești.

Cel mai ușor mod de a trata cu oamenii dificili este de a avea permisivitate.

Dacă recunoști un șarpe cu clopoței, îl iei în pat cu tine? Dacă-l recunoști pe ELF sau pe șarpele cu clopoței, poți să spui: *Interesant punct de vedere*. El crede că poate ieși basma curată din asta. Dacă rămâi calm, linștit și stăpân pe tine și dacă ești prezent cu ceea ce primești, vei ști că va încerca să te facă. Vei fi conștient de asta pe parcursul întregii conversații și nu vei permite ca acest lucru să se întâmple.

Când spui: *Ah, chiar este o persoană drăguță*, ești mort. Când spui: *Îi voi plăti cu aceeași monedă* ai creat o luptă. Când ești într-un conflict cu cineva, energia se blochează în loc. Nu vrei energie blocată într-un loc – vrei ca energia să curgă. Pentru a permite acest lucru, trebuie să ai permisivitate. Tu ești bolovanul din mijlocul râului iar apa curge în jurul tău. Orice ar face acea persoană dificilă este doar un punct de vedere interesant, tu ești bolovanul din apă iar apa – sau energia – continuă să curgă.

ASPIRĂ-I DIN PICIOARE

Când am început să predau prima oară, obisnuiam să spun: *Când oamenii împing energie spre tine, tu trebuie să fii capabil să tragi energie de la ei atât de puternic încât să renunțe.*

Într-o zi, m-am gândit: „ Îi detest pe oamenii de vânzări mai ales când sună la ora mesei. Mă întreb ce s-ar întâmpla dacă aș trage energie de la ei." În fiecare seară, la ora șase, telefonul începea să sune și întotdeauna era un agent de vânzări care încerca mereu să-mi vândă ceva. Am decis să schimb lucrurile. Într-o seară, a sunat telefonul și am spus: *Ok, acesta e un agent de vânzări. Știu că este un agent de vânzări.*

Am ridicat receptorul și am spus „Alo" și da, era un agent de vânzări. A început să-și recite discursul iar eu am început să trag energie de la el.

Am spus: „E grozav. Căutam aceste lucruri. Îmi poți trimite două bucăți?"

El a răspuns: „Ahh, da, domnule. Îmi dați numărul cardului de credit?"

Am spus: „Sigur, nicio problemă" și trăgeam nebunește energie de la el.

A luat numărul cardului de credit și a spus: „Sunteți sigur că vreți asta, domnule?"

Am răspuns: „Absolut. Este exact ce căutam."

Îl simțeam cum gândește: „Asta nu are sens, nu are sens, nu are sens."

A închis. În mai puțin de cinci minute am primit un telefon.

„Dl. Douglas? La telefon supervizorul lui cutare." Eu trăgeam energie ca nebunul, prin fiecare por al ființei și al corpului meu.

M-a întrebat: „Ați comandat acest lucru?"

Am spus: „Da, domnule, am comandat și sunt foarte fericit că va ajunge la mine." A spus: „Mulțumesc foarte mult, dl. Douglas."

Oamenii din vânzări au nevoie de o barieră

Nu am primit niciodată articolul respectiv și nici nu mi-a fost vreodată facturat. De ce? Pentru că cei din vânzări au nevoie de o barieră. Ei știu că tu ai o reținere de care, dacă reușesc să treacă, atunci fac o vânzare. Dar dacă nu ai această reținere și tragi energie de la ei, se gândesc că ceva e în neregulă – fie ești nebun, fie ești mincinos, fie folosești cardul de credit al altcuiva. Ceva este foarte nelalocul lui dacă nu ai o barieră, nu te împotrivești și nu reacționezi.

De la fereastra casei îi văd pe agenții de vânzări apropiindu-se de ușa de la intrare iar atunci când îi văd, încep să trag energie de la ei întrucât știu că vor încerca să-mi desființeze reticențele. Aleea din beton care duce la intrare este pe teren plan, dar pentru că trag energie, ei aproape cad din picioare până să ajungă la ușă.

Când deschid uşa, le spun: „Bună, ce mai faci?" şi trag energie.

Ei îmi răspund: „Bună, vând acest obiect, nu e bun deloc şi chiar nu-l vrei."

Eu continui să trag energie iar ei spun: „Nu contează. La revedere." Habar nu au de ce îmi spun aceste lucruri.

Un vânzător de maşini va spune: „Am acest camion care este foarte uşor de condus." Când tragi energie, el va spune: „Iar transmisia este aproape terminată şi chiar nu merită banii ăştia. Nu pot să cred că am zis aşa ceva!" Păţesc asta tot timpul. Trebuie doar să tragi energie de la ei atunci când ei împing energia spre tine.

Dacă tragi intens energie de la cineva care împinge energie spre tine, atunci ei îţi vor spune toate motivele pentru care să nu cumperi ceea ce vând. Asta funcţionează şi cu reprezentanţi ai bisericii care vin la uşa ta. Dacă le dai voie să intre la tine în casă şi doar tragi nebuneşte energie de la ei, vor pleca imediat.

Reprezentanţii bisericii vin la mine acasă iar eu ştiu cine sunt, le deschid uşa şi încep să trag puternic energie de la ei şi le spun: „Bună! Ce mai faceţi?"

Şi ei îmi răspund: „Bună! Venim în numele Domnlui!" sau ceva similar.

Le spun: „Super. Aş fi fericit să aud tot ce aveţi de spus. Vă supăraţi dacă fac *channeling* pentru voi?"

Pleacă de la mine cu viteza luminii. Iar casa mea este pusă pe o listă cu adrese de evitat. Nu se mai întorc niciodată.

Cum tragi energie?

Cum tragi energie? Pur şi simplu ceri energiei să curgă. De curând, cineva mi-a povestit cum a funcţionat acest lucru cu un poliţist. A fost trasă pe dreapta pentru depăşirea vitezei legale şi a tras energie. În loc să-i dea amendă, polițistul a spus: „Să nu mai faceți asta." Puteți folosi acest proces în tot felul de locuri. Atât timp cât trageți energie de la cineva, acea persoană nu se poate manifesta agresiv. Agresivitatea dispare atunci când trageți energie.

Unul din lucrurile pe care le puteți face ca să exersați acest proces, este să mergeți într-o cafenea sau în alt loc unde sunt mulți oameni. Pur și simplu, stați acolo lângă ușă și trageți energie de la fiecare persoană prezentă în acel loc până când, cu toții, se întorc să vă privească.

Pur și simplu ceri energiei să curgă. *„Bine, voi trage energie de la fiecare din acest local până când, cu toții, se vor întoarce către mine."*

Oamenii se vor întoarce și te vor privi iar tu vei spune: *„Super!"* Asta este tot. Nu-i nevoie de muncă. Nu necesită efort. Este ușor.

CUM RECUPEREZI BANII CARE ȚI SE DATOREAZĂ?

Uneori, oamenii mă întreabă: „Cum îmi recuperez banii care mi se datorează?" Ceea ce trebuie să faci dacă cineva îți datorează bani este să tragi energie prin fiecare por al corpului și al ființei tale până simți cum ți se deschide inima. Când se întâmplă acest lucru, te-ai conectat cu persoanele care îți datorează banii. Apoi, lasă un firicel să plece înspre ei. Fă acest lucru în fiecare zi, 24 de ore pe zi. Nu vor reuși să te scoată din mintea lor până când nu-ți vor restitui suma datorată.

Fă acest lucru fără să te agăți de un rezultat anume. Decide că vei păstra această conexiune cu ei și vei lăsa energia să vină înapoi la tine până când banii care ți se datorează se vor întoarce la tine odată cu fluxul de energie.

Cum funcționează acest lucru?

Când cineva îți datorează bani, ei ridică o barieră. Dacă tragi energie de la ei și lași un firicel să se ducă înapoi, ei nu se vor putea opri să se gândească la tine. Cu cât se gândesc mai mult la tine, cu atât se simt mai vinovați.

Cu cât se simt mai vinovați, cu atât sunt mai predispuși să te plătească. Funcționează!

Încerci să recuperezi bani de la cineva care a murit? Fă același lucru. Va veni la tine într-un alt corp și-ți va da niște bani iar tu te vei întreba: *De ce îmi dă persoana aceasta bani?* Persoana respectivă a plecat și a revenit într-un corp nou. Ești o ființă infinită, corect? Crezi că doar o singură viață contează?

Ai trăit vreodată experiența în care cineva a cheltuit mulți bani pentru tine, a cumpărat ceva de la tine, ți-a dat un job sau o sumă mare de bani iar tu habar nu aveai de ce făceau asta? Nu aveau nicio legătură reală cu tine dar ți-au dat o sumă mare de bani pe care nu o câștigaseși? Ți-au dat banii și s-au retras din viața ta? Dacă ți s-a întâmplat acest lucru, a fost pentru că persoana respectivă îți datora bani dintr-o altă viață.

A DĂRUI ȘI A PRIMI

A ÎNVĂȚA SĂ PRIMEȘTI ESTE LUCRUL CEL MAI DE PREȚ PE CARE ÎL POȚI FACE

Am lucrat cu mulți oameni pe tema problemelor cu banii. Am lucrat cu oameni care aveau 10$ în buzunar și cu oameni care aveau 10 milioane de dolari. Lucrul interesant este că toți aveau aceeași problemă care nu avea nicio legătură cu banii. Era legat de ce anume erau ei dispuși să primească.

A învăța să primești este lucrul cel mai de preț pe care îl poți face. Limitarea în raport cu banii, limitarea în raport cu sexul, limitarea în raport cu relațiile, limitarea în raport cu orice din viața ta se bazează pe ce anume nu ești dispus să primești. Ceea ce nu ești dispus să primești creează limitarea a ceea ce poți avea.

JUDECĂȚILE ÎȚI LIMITEAZĂ CAPACITATEA DE A PRIMI

Ori de câte ori judeci ceva, indiferent dacă este o judecată pozitivă sau o judecată negativă – sau orice grad de judecată ar fi – îți retezi capacitatea de a primi dincolo de acea judecată. Fiecare judecată pe care o emiți te împiedică să primești orice nu se potrivește cu ea, astfel că, și o judecată pozitivă precum: *Această persoană este perfectă,* te împiedică să vezi când acea persoană nu este perfectă. Dacă decizi că te-ai însurat cu femeia perfectă, vei fi capabil să vezi atunci când ea nu e perfectă? Poți vedea când te înșală? Nu. Nu ești capabil să primești întreaga realitate a acelei persoane.

Orice nu suntem în stare să primim se bazează pe propriile noastre judecăți. Trebuie să trăiești în judecată? Nu. De fapt, trebuie să trăiești fără să judeci. Dacă-ți trăiești viața dintr-un loc fără judecată, poți primi lumea în totalitea ei. Poți avea tot ce ți-ai dorit vreodată. Când nu ai nicio judecată, nu există nimic ce să nu poți primi.

Am lucrat cu un domn care deținea un magazin de haine pentru bărbați într-o zonă din oraș unde locuiau homosexuali. Întâmpina dificultăți cu afacerea lui și m-a rugat să-l ajut să înțeleagă care era problema. Ne-am uitat la toate aspectele și totul părea în regulă iar eu mă gândeam: Ce anume îl împiedică să aibă succes?

I-am zis: „Așadar, povestește-mi despre clienții tăi."

El mi-a spus: „Ah, sunt simpatici cu excepția acelor indivizi."

Am zis: „Acei indivizi? Cine sunt acei indivizi?"

El a răspuns: „Eh, știi tu, tipii aceia efeminați și provocatori care intră în magazin. Urăsc momentele în care vin și-mi fac avansuri."

I-am spus: „Magazinul tău este în zona din oraș unde locuiesc homosexuali, corect?"

El a spus: „Da"

I-am zis: „Știi ceva? Aici greșești pentru că nu primești energia clienților tăi. Nu-ți vor da bani dacă nu ești dispus să le primești energia."

Mi-a spus: „Ce vrei să zici?"

Am răspuns: „Trebuie să fii dispus să le primești energia dacă vrei banii lor. Trebuie să înveți să-i tachinezi și să flirtezi cu ei."

El zise: „Nu aș putea face asta niciodată! Nu vreau să fac sex cu un bărbat!"

I-am spus: „Nu am spus să faci sex cu ei. Am spus că trebuie să flirtezi cu ei. Ai flirta cu o femeie, nu-i așa?"

El a răspuns: „Când soția mea nu este în preajmă."

Am spus: „Atunci flirtează cu un bărbat. Nu înseamnă că trebuie să ai o relație sexuală cu el. Înseamnă doar că ești dispus să primești energia pe care ți-o dă și apoi poți să obții și banii lui."

Și așa a învățat să se bucure de clienții lui, să se tachineze și să flirteze cu ei. A învățat să se simtă bine cu ei și a început să facă o grămadă de bani. Avusese o judecată legată de a primi energia clienților lui și această judecată limitase ceea ce ar fi putut primi din punct de vedere financiar. Același lucru este valabil și pentru tine. Ceea ce nu ești dispus să primești energetic, devine limitarea din care creezi banii.

CE ANUME NU EȘTI DISPUS SĂ PRIMEȘTI SUB NICIO FORMĂ?

Îți vom pune o întrebare și am vrea să-ți notezi primul lucru care-ți trece prin cap – sau să-l spui cu voce tare, mai ales dacă nu are absolut niciun sens pentru tine. Scopul acestei întrebări este să deblocheze ceea ce nu ești dispus să primești. Orice nu suntem dispuși să primim creează o limitare legată de ce anume putem crea în viețile noastre. Limitează ce putem avea.

Iată întrebarea: Ce anume nu ești dispus să primești sub nicio formă, pe care dacă ai fi dispus să-l primești, s-ar manifesta ca abundență totală?

Am pus această întrebare unui grup de persoane. Mai jos sunt unele dintre răspunsurile pe care le-au dat. Se aplică vreunele în cazul tău?

Oamenii nu mă plac	*Judecăți*	*Sănătate*
Iubire	*Sex*	*Sine*
Intimitate		

Ce anume nu ești dispus să primești sub nicio formă, pe care dacă ai fi dispus să-l primești, s-ar manifesta ca abundență totală? Ce este pe lista ta? Sunt răspunsurile tale asemănătoare cu cele de mai jos?

Responsabilitate	*Măreția care sunt*
Succes	*Ceva pentru care trebuie să muncesc ca un sclav*
A fi ciudat și diferit	*Să mă simt bine când mă amuz în viață*

Ce anume nu ești dispus să primești sub nicio formă, pe care dacă ai fi dispus să-l primești, s-ar manifesta ca abundență totală? Ce răspunsuri ai primit de data asta? Răspunsurile tale conțin vreunul din elementele de mai jos?

Bani ușori	*Să fiu copleșit*	*Să-mi pese*
Să greșesc	*Abilitatea de a crea*	*Ajutor*
Să fiu plesnit peste față	*Să fiu bucuros*	*Să-mi asum riscuri*

Foarte interesant, nu-i așa? Lucrurile pe care nu ești dispus să le primești limitează ceea ce poți avea în viață. Cum nu ești dispus să primești acele lucruri, atunci nu poți avea abundență în viață. Toată lumea are mai mult sau mai puțin aceleași probleme. Reticența ta în a primi orice a apărut acum pentru tine, limitează suma de bani pe care o poți avea. Limitează ce poți avea în fiecare privință. Ceea ce nu suntem dispuși să primim este aspectul care creează problema. Ce-ar fi dacă ai fi dispus să primești orice și totul?

Ce energie ai decis că nu poți primi? Ce judecată ai care te împiedică să primești nelimitat? Este posibil ca, pe măsură ce citești aceste întrebări, să-ți vină ceva în minte. Acela este un răspuns din – ghici de unde? – din mintea ta nebună, pentru că ea este cea care-ți creează toate limitările.

Mintea ta logică preia aceste limitări stupide şi le justifică. Ea furnizează deciziile şi judecăţile care menţin limitarea în existenţă.

Lucrul fantastic legat de asta este că: acel răspuns nebun care îţi vine în minte este nu numai o declaraţie a limitării tale, dar şi răspunsul care te va elibera. Mintea logică produce doar justificări pentru punctul de vedere stupid pe care îl ai deja.

Aşadar, ce energie nu eşti dispus să primeşti?

Nu-mi pierd vremea cu femei măritate

Cu ani în urmă, când aveam în jur de 30 de ani, dresam cai. În acea perioadă, îmi planificasem să merg în Europa pentru şase luni. Am întâlnit o doamnă care locuia în Montecito, care este o zonă de lux din Santa Barbara. Avea nişte cai de care voia să mă ocup aşa că am făcut exact asta. Ea credea că sunt cu vino-ncoace, mă măsura din cap până-n picioare, şi-mi făcea avansuri. Reacţia mea la comportamentul ei a fost o judecată: *Eu nu-mi pierd timpul cu femei măritate*. Soţul ei era avocat şi mi-am zis că ultimul lucru pe care voiam să-l fac era să intru într-o astfel de situaţie. Aş fi putut să dau de necaz.

Aşa că, am plecat în Europa unde am stat timp de şase luni. Când am revenit, ea a început să mă caute la telefon iar eu, pe baza judecăţii anterioare, am tot amânat-o şi am amânat-o şi tot nu voiam să am nimic de-a face cu ea.

După două luni, am aflat că s-a măritat cu cineva care semăna atât de bine cu mine încât puteam fi fraţi. Eu presupusesem că era măritată dar realitatea era că ea divorţase atunci când eu eram în Europa. Nimeni nu mi-a spus asta.

La şase luni de la căsătorie, a murit în urma unei hemoragii intracraniene şi i-a lăsat noului ei soţ suma de 67 milioane de dolari. Crezi că judecata mea a avut vreun efect asupra vieţii mele? Ce judecăţi ar putea avea acelaşi efect păgubitor asupra vieţii tale?

ÎN AFARA CONTROLULUI vs. LIPSA CONTROLULUI

Avem tendinţa să ne controlăm prin intermediul limitărilor pe care le creăm. Creăm control în jurul nostru legat de ce vom primi şi de ce nu vom primi, despre ce este posibil şi despre ce nu este posibil, despre cum credem că trebuie să arate şi despre cum ne-ar plăcea să arate. Credem că asta ne face să avem control. Dar nu vrei să fii în control – vrei să fii în afara lui. Trebuie să ajungi la punctul în care eşti dispus să fii cu totul în afara controlului.

Nu vorbesc aici despre a fi necontrolat în sensul de a fi în stare de ebrietate şi a face scandal, şi nici despre a merge cu o viteză de 12.000 km/h pe autostradă. Nu mă refer aici la a te plimba gol-puşcă în public sau ceva asemănător. Asta înseamnă lipsă de control. Ceea ce îţi doreşti este să fii în afara controlului. Problema în viaţa ta este că nu te afli în afara controlului.

Avem tendinţa să petrecem foarte mult timp emiţând judecăţi, încercând să vedem cum să ne controlăm pe noi ca să putem să ne înţelegem cu lumea din jur. Când suntem în afara controlului, suntem dispuşi să existăm dincolo de graniţele normalului şi dincolo de punctele de referinţă obişnuite. A fi în afara controlului nu înseamnă a fi necontrolat şi nu înseamnă a fi în stare de ebrietate şi scandalagiu. Este despre a nu permite comenzilor ataşate punctelor de vedere, realităţilor, judecăţilor şi deciziilor altor persoane să ne controleze viaţa. A fi în afara controlului înseamnă a înlătura acele momente în care ai cedat părţi din viaţa ta în favoarea altora şi le-ai făcut mai puternice decât tine. A fi în afara controlului înseamnă a nu mai fi rezultatul, ci a fi sursa.

Vrei să fii în afara controlului pentru că ţi-ai definit viaţa. Acum ai cutia vieţii tale definită şi limitată. Ai creat sicriul pe care îl numeşti viaţa ta. Ai impresia că eşti în viaţă dar trăieşti într-un coşciug. Dacă ai distruge acele graniţe, ai putea începe să creezi de dincolo de control.

Odată ce eşti dispus să fii în afara controlului, eşti dispus să exişti în afara sicriului pe care l-ai creat ca şi viaţa ta. Nu te mai uiţi la experienţa trecutului ca la sursa din care vei crea în viitor. Vei începe să trăieşti în prezent. În loc să încerci să găseşti răspunsuri pe baza punctelor tale de vedere limitate, împuterniceşti universul să-ţi dea răspunsul.

A DA ŞI A LUA vs. A DĂRUI ŞI A PRIMI

Lumea are la bază, mai mult sau mai puţin, obiceiul de a da şi a lua. Este un punct de vedere care spune: Eu îţi dau asta, tu îmi dai cealaltă. Este o modalitate de schimb în care suntem cu toţii blocaţi. Dacă îţi fac sex oral, atunci şi tu te simţi obligat să-mi faci sex oral. Este un schimb. Eu fac asta, tu trebuie să faci astălaltă.

Pe de altă parte, în cazul dăruirii, nu se petrece un schimb separat. Dăruieşti fără să aştepţi ceva la schimb şi, drept urmare, primeşti nelimitat, în acelaşi timp. A dărui este a primi, iar a primi este a dărui, totul în acelaşi timp. În a dărui şi a primi există toate elementele care îţi permit să ai simţul comuniunii cu toate lucrurile. De exemplu, când te afli în natură, îţi dăruieşte ea? Aşteaptă ea ceva la schimb?

În fiecare clipă, natura dăruieşte tot ce are şi, în acelaşi timp, primeşte. Pomii fructiferi creează fructele şi ţi le dăruiesc cu totul. Se reţin ei în vreun fel?

Când ai un răsad cu flori frumoase, acestea îţi dăruiesc parfumul şi frumuseţea lor fără a cere ceva în schimb. Şi primesc de la tine energia pe care le-o dai, alături de recunoştinţa pe care o ai pentru frumuseţea lor.

În loc să dăruim şi să primim, cei mai mulţi dintre noi trăim în lumea lui a-da-şi-a-lua. Spunem: „Îţi voi da acest lucru dar aştept ceva în schimb." Facem un dar cu ideea că vom primi ceva în schimb. De câte ori, atunci când îţi este oferit ceva, ştii că cel care îţi oferă acel lucru aşteaptă de la tine să faci, să dai, să contribui sau să funcţionezi într-un fel anume pentru ei? De cele mai multe ori? Aşa este. *Dacă îţi dau asta, atunci trebuie să îmi dai cealaltă.* Este a-da-şi-a-lua.

Când trăiești în lumea lui a-da-și-a-lua, elimini dăruirea. Aceasta este o greșeală monumentală pentru că atunci când dăruiești cuiva cu adevărat, primești și tu la rândul tău din abundență, în toate privințele. Dar, în cea mai mare parte, noi dăm doar când suntem obligați să o facem. Iar acest lucru este realitatea schimbului a-da-și-a-lua, nu este abundența.

Cum ar fi în lumea ta dacă ai avea generozitatea de spirit care ți-ar permite să dai fără să aștepți vreodată ceva în schimb? Nu ar fi minunat? De ce nu dai voie ca așa ceva să vină în viața ta? Poate pentru că nu te aștepți ca oamenii să primească ceea ce le dai - și așa e, nu primesc.

Oameni care nu pot primi

Oamenii care nu pot primi ce le dai, îți înapoiază darul împreună cu niște răutăți atașate. Pentru că trebuie să-ți arate cât de mult nu le-a plăcut darul întrucât nu au fost capabili să-l primească din start.

O doamnă mi-a povestit despre tatăl ei. Încerca să-i spună cât de mult ține la el iar el i-a spus: „Da-da, draga mea, bine." Nu a putut să primească asta. Când încerci să dai cuiva care nu poate primi ce spui sau ce le dăruiești, ei întotdeauna vor respinge acel lucru. Din ce cauză? Pentru că ei nu cred că e în regulă să primești.

Oameni care dau prea mult

Unii oameni dau și dau și dau, gândindu-se că ceilalți se vor bucura pentru că ei dau atât de mult. Este asta *a dărui*? Nu, pentru că se așteaptă ceva în schimb. Funcționează acest lucru? Devine cealaltă persoană fericită în prezența lor? Nu. De obicei, ceilalți spun: *O să iau mai mult din asta - și mai mult din asta - și ce altceva mai ai? Voi lua și asta, de asemenea.*

Ai fost vreodată în rutina lui a-da-prea-mult? Dai copiilor tăi prea mult? Sunt ei recunoscători pentru ceea ce le dai? În cazul copiilor mei, se pare că pe măsură ce le dau mai mult, cu atât mai mult iau. Copiii – după spusele prietenei mele Mary – îți vor lua și ultima suflare și nu vor spune niciodată mulțumesc. Ei se așteaptă ca tu să le dai tot timpul și vor lua întotdeauna de la tine. Ei nu înțeleg că trebuie să existe o onorare a darului. Ei nu consideră a fi un *dar* ceea ce le dai tu; ei cred că orice le dai, li se cuvine.

Ori de câte ori dai cuiva care se simte *îndreptățit* să primească, sau care crede că trebuie să le dai pentru că tu ai bani sau pentru că poți, nu e tocmai în regulă. Nu va exista bucurie adevărată în acest dar al tău și nici în primirea lui. Dacă ai un prieten care nu are destul, e posibil să încerci să-i dai ca să-l ajuți și apoi foarte curând s-ar putea să descoperi că îi dai tot timpul, fără sfârșit. Asta se întâmplă când te afli în programul lui a-da-și-a-lua. Este posibil ca, în tot acest act de a da, să crezi că, de fapt, nu trebuie să primești? Este posibil să simți că trebuie să dai mereu dar să nu primești niciodată?

Unii oameni dau pentru a-i face pe alții să se simtă mici. Noi cunoaștem o doamnă care făcea cadouri deosebit de scumpe tot timpul. Una dintre prietenele ei care era îngrijorată în legătură cu asta mi-a spus: „Nu-i pot da nimic în schimb pentru că nu pot să cheltuiesc la fel de mult cât a cheltuit ea pentru mine." Am vorbit despre asta un timp și și-a dat seama că prietena ei căuta ca, prin acest gest, să-i îndepărteze pe oameni pentru ca, chiar și atunci când primeau mai mult, să se simtă mai neînsemnați.

A-da-și-a-lua și a dărui și a oferi apar în orice fel de relații. Dacă ești într-o relație în care crezi că trebuie să dai 150%, de obicei ajungi să dai de cineva care este dispus să ia 150%. Nu primești pe cineva care să dea la fel de mult ca și tine. Dar atunci când dăruiești și primești cu adevărat în relația pe care o ai, cealaltă persoană îți dăruiește și, simultan, primește. Tu îi dăruiești și primești în același timp.

Trăiești în lumea balanței de profit și pierdere a lui a da și a lua?

Adeseori, când oamenilor li se refuză anumite lucruri, încep să-și creeze un punct de vedere care spune: *Acest lucru este al meu, știu cât de mult am şi ar fi bine să nu încerci să iei vreo nucă de la mine, la naiba.* Ei trăiesc în lumea „balanţei de profit şi pierdere". Cunoşti şi tu oameni care vor să ţină socoteala foarte strict? Ei spun lucruri precum: „Nota de plată este de 37.50\$. Dacă o împărţim, fiecăruia îi revin 18.75\$. Bine, îmi datorezi 18.75\$." „Asta este mâncarea mea. Nu-mi mânca avocado!" Rezultatul final al acestui mod de gândire este că acestor oameni le lipseşte abundenţa. Nu poţi trăi în lumea balanţei de profit şi pierdere şi să crezi în abundenţa vieţii tale. Ce s-ar întâmpla dacă ai îmbrăţişa un punct de vedere total diferit: *Vrei acest lucru? Ia-l!*

Când te dezbari de idea: *Trebuie să-mi obţin partea mea* atunci poţi degusta abundenţa universului. Dacă ai din plin, îţi pasă atunci când colegul cu care locuieşti în apartament mănâncă un avocado care ai crezut că e al tău? Dacă eşti o fiinţă infinită, cu resurse nelimitate, cu posibilitate nelimitată, cum ar fi posibil ca cineva să-ţi ia ceva? Serios. Este posibil să dăruieşti vreodată peste limite?

Abundenţa universului este nelimitată

Unul din modurile în care mi-am schimbat punctul de vedere cu privire la a dărui şi a primi a fost să practic dăruirea fără să am vreo aşteptare. Am fost odată cu un prieten la restaurant. Am comandat o cafea şi o gogoaşă iar prietenul meu a comandat un ceai. Chelneriţa care ne-a servit avea în jur de 45 de ani. Mai întâi, i-a adus prietenului meu o lingură apoi a plecat şi mi-a adus şi mie una. După aceea, mi-a adus cafeaua. A plecat şi a revenit cu ceaiul, apoi cu frişca şi apoi cu gogoaşa.

Am întrebat-o: „Ai o zi grea?"

I s-au umezit ochii şi a spus: „Nu am mai muncit niciodată până acum. Acesta este primul job pe care îl am. Nu ştiu cum să fac lucrurile acestea. Sunt copleşită."

I-am răspuns: „Nu te îngrijora, o să fie mai bine. Te vei obişnui."

Mi-a zis: „Mulţumesc. Sunteţi foarte amabil." Ne-a adus nota de plată în valoare de 5,12\$. I-am lăsat 10,12\$.

Ne îndreptam spre ieșire, când a venit alergând spre noi spunând: „Domnule, domnule, mi-ați dat prea mulți bani!"

I-am spus: „Nu. Acela este bacșișul. Pentru ca să știi că te descurci bine." Întregul ei univers radia.

Cu altă ocazie, eram în New York și mă îndreptam spre locul unde urma să mănânc la prânz. Am trecut pe lângă un tânăr care stătea pe jos - avea o rană adâncă la picior și în fața lui era cutia de la o conservă. Nimeni nu punea bani acolo. Când m-am întors de la masa de prânz, fără să-l privesc, am pus o bancnotă de 20$ în cutia de conservă. Mi-a spus: „Mulțumesc, domnule! Dumnezeule! Fii binecuvântat! Fii binecuvântat! Mulțumesc!" Simțeam cum îi radia energia pentru că cineva l-a văzut, l-a remarcat și i-a dăruit fără nicio așteptare. Și nu era doar un bănuț, nu era: *„Bine, hai, ești un amărât de cerșetor"* – era suficient cât să-și permită o masă bună.

Dacă faci astfel de lucruri, spulberi ideea că nu există abundență în lume. Trebuie să faci acest lucru. Trebuie să faci să se întâmple acest lucru.

Când am plecat din casă după divorț, aveam o mulțime de antichități pe care urma să le vând dar, în loc să fac asta, i le-am dat unui prieten, dealerul de antichități, care avea mai mulți bani decât aveam eu. I-am dat toate antichitățile mele și asta l-a confuzat la culme. Nu putea înțelege de ce i-aș oferi lui, care avea mai mult ca mine. Punctul lui de vedere era că trebuie să dai cuiva care are mai puțin decât tine. Acesta este un concept pe care trebuie să-l uiți.

Când oamenii cu mulți bani ies în oraș împreună cu oameni care au mai puțini bani, cei care au mai puțini bani se așteaptă ca cei care au mai mult să plătească. Eu, când ies la cină cu oameni care au mulți bani, fac întotdeauna astfel încât să plătesc eu. Ei nu știu ce să înțeleagă din asta. Eu nu mai sunt mai nesemnificativ decât ei. Și tu te poți juca așa. Plătește tu nota din când în când. Vezi ce se întâmplă.

Scopul vieții este să te distrezi iar scopul banilor este, probabil, să spulbere paradigmele oamenilor. Însă, ceea ce faci tu, este să trăiești cu ideea că abundența universului este nelimitată și, atunci când trăiești așa, totul în viață se schimbă în bine.

HUMAN SAU HUMANOID: TU CE EŞTI?

Unul dintre cele mai neaşteptate lucruri pe care l-am descoperit lucrând cu Access a fost conştientizarea că, se pare, există două specii de fiinţe pe planeta Pământ: humanii şi humanoizii.

Humanii judecă în permanenţă pe toţi ceilalţi şi sunt de părere că viaţa este doar atât cât este şi nimic nu e vreodată bine. Nici măcar nu se sinchisesc să se gândească la o altă posibilitate.

Humanoizii caută moduri prin care să facă lucrurile mai bune. Dacă inventezi lucruri, dacă cercetezi, dacă întotdeauna cauţi moduri de a crea mai mult şi mai bine, atunci eşti humanoid nu eşti human. Humanoizii sunt oamenii care creează schimbarea. Ei sunt cei care descoperă, care creează muzică şi poezie. Ei creează toate schimbările care provin din nemulţumirea faţă de situaţia existentă.

„Ei bine, dacă măcar ţi-ai lua un televizor..."

Pentru noi, humanoizii, este o mare uşurare să ştim că suntem întotdeauna judecaţi şi că nu ne integrăm niciodată. Încercăm din greu dar nu ne putem potrivi după calapodul human. Majoritatea dintre noi căutăm cu disperare să înţelegem şi să ne integrăm în realitatea humanilor privitoare la bani. Oamenii ne spun: „Dacă ţi-ai lua un televizor, o maşină nouă şi o slujbă atunci ai fi bine."

Ideea din prezentarea diferenţelor între humani şi humaoizi nu este despre a-i judeca pe humani. Este vorba despre a deveni conştienţi în legătură cu modul în care noi, humanoizii, ne judecăm pe noi înşine.

Humanoizii se judecă pe ei înşişi

Unul dintre cele mai importante lucruri de ştiut despre humanoizi este că se judecă pe ei înşişi. Humanoizii cred că este ceva în neregulă cu ei pentru că nu sunt precum ceilalţi din preajma lor. Ei se întreabă: „Ce este în neregulă cu mine încât nu pot să înțeleg pe deplin? De ce nu pot fi ca cel de lângă mine? De ce nu mă mulțumesc cu mai puțin? Ce e în neregulă cu mine?" Ei recurg la judecăți de sine semnificative. Se întreabă de ce nu pot obține și nu pot avea ceea ce au ceilalți.

Când cineva minte un humanoid sau îi face o nedreptate, humanoidul sucește acest lucru și caută să vadă ce anume a greșit el. Se învinovățește pe sine și îi dă dreptate celeilalte persoane. Un amic de-al meu care este humanoid a fost într-o relație de afaceri o lungă perioadă de timp cu un anumit partener. Într-o zi povestea cum afacerea lui nu părea să facă bani niciodată.

I-am spus: „Ceva nu e în regulă aici. Mai bine verifici dosarele contabile. Eu cred ca partenerul tău te înșală."

Mi-a răspuns: „Ah, el nu m-ar înșela niciodată."

L-am întrebat: „Poți să verifici acest lucru?"

A decis să se uite mai atent la dosarele contabile iar când partenerul lui a aflat că urma să facă acest lucru s-a înfuriat la culme și a făcut o serie de acuzații la adresa lui. Reacția prietenului meu a fost să se judece aspru pe sine pentru că a fost atât de neloial încât să pună la îndoială caracterul partenerului său.

O lună mai târziu, prietenul meu a aflat că partenerul său îl înșela.

Răspunsul prietenului meu humanoid când a descoperit că partenerul său îl înșela a fost să se simtă extrem de vinovat pe când, reacția partenerului său human a fost să spună: „Asta este numai vina ta. Dacă nu ai fi fost un partener atât de slab, nimic din asta nu s-ar fi întâmplat."

Asta este tot

Humanii nu au nici cea mai mică idee că sunt ființe infinite cu posibilități infinite. Nu cred în reîncarnare. Ei cred că asta este tot ce este. Ei spun lucruri precum: „Trăiești, apoi mori și devii hrană pentru viermi."

După ce a avut un infarct, am stat de vorbă cu tatăl meu vitreg, care era - fără îndoială - un human. Am zis: „Tata, cum a fost pentru tine acest infarct?" Nimeni nu-l mai întrebase acest lucru.

A spus: „Ei bine, îmi amintesc când am făcut atacul că stăteam în afara corpului privind la…" Vocea i-a pierit pentru un moment și apoi a reluat. „Ei bine, am făcut infarctul și apoi i-am văzut cum puneau electrozii pe pieptul meu…" S-a oprit din nou la mijlocul propoziției, a așteptat o clipă și apoi a reluat. „Ei bine, am avut un infarct, mi-au pus electrozii pe piept și au dat drumul la curent."

El nu putea accepta o realitate în care se afla în afara corpului său și privea la aceste lucruri. A fost un exemplu grozav despre ce se întâmplă cu oamenii atunci când nu pot primi ceea ce nu se potrivește cu judecata lor despre această realitate. Realitatea lui era că te afli într-un corp și asta e tot. Un human nu poate primi nimic din ceea ce nu se potrivește cu punctul lui de vedere că „Asta este tot ce este." Humanii nu cred în alte posibilități. Nu cred în miracole sau în magie. Cei care creează totul sunt medicii, avocații și șefii de trib. Humanii nu creează nimic.

Un procent de 47% din populație este format din humanoizi iar ei sunt creatorii a tot ce se schimbă în realitatea planetei Pământ. Cincizeci și doi la sută sunt humani. (Și ultimul procent? Într-o zi o să vă spun despre asta!) Humanii se agață de lucruri așa cum sunt ele și nu vor ca ceva să se schimbe vreodată. Ai vizitat vreodată pe cineva care nu mai schimbase mobila din casă de treizeci de ani? Human.

Humanii vor locui în același cartier până când se depreciază și apoi, în loc să se mute, își pun bare de metal la ferestre ca să se protejeze de infractori. Și cine este cel care se uită printre bare? Scuză-mă, tocmai te-ai transformat pe tine într-un pușcăriaș! Humanii sunt acei prestatori de servicii care distrug toate plantele și copacii pentru a reconstrui o casă. Distrug totul pentru ca să poată crea. „Așa stau lucrurile" spun ei. „Vom distruge totul și o să fie bine."

Humanii îi judecă pe ceilalți pentru că totul în viața lor este despre judecată, decizii, forță și efort. Este singurul loc din care creează. Gândește-te la cineva pe care îl cunoști și care este human. Percepe conștiința lui sau a ei.

Acum percepe conştiinţa unei pietre. Care este mai uşoară? Piatra? Bine. Este mai multă conştiinţă într-o piatră, deci, din ce motiv să ne petrecem timp împreună cu humanii? Cu toţii avem prieteni şi membri de familie care sunt humani dar ei ne judecă şi ne spun cât de mult greşim cu tot ce facem. Judecăţile humanilor la adresa noastră se clădesc pe faptul că noi, ca şi humanoizi, avem tendinţa de a ne judeca pe noi înşine.

Recunoaşte că eşti humanoid

Ce se întâmplă dacă nu îţi asumi în totalitate capacitatea ta de humanoid? Dacă nu înţelegi şi nu recunoşti că eşti humanoid, vei încerca să creezi din punctul de vedere al unui human. Crezi în - şi creezi – o posibilitate limitată pentru tine. Un human spune: „Arată-mi paşii" şi va face, sârguincios, fiecare pas pe rând. Pe când tu, ca şi humanoid, ai abilitatea de a merge de la A la Z dintr-un foc. Poţi să mergi pac-pac şi să ai tot ce îţi doreşti dar cei mai mulţi dintre noi nu revendicăm această posibilitate pentru noi. Încercăm să ne stabilim într-o existenţă de human.

Asta e o greşeală pentru că humanii se mulţumesc cu situaţia de fapt şi nu vor să schimbe nimic pe când humanoizii vor să se dezvolte, să aibă abundenţă şi să fie creativi.

Dacă te interesează dezvoltarea şi o viaţă confortabilă şi cu abundenţă, nu mai încerca să te îndeşi într-o matriţă de human. Recunoaşte că eşti humanoid şi revendică-ţi capacitatea de a intra în rândurile celor bogaţi şi faimoşi.

HUMANOIZI, MUNCĂ ŞI BANI

Humanoizii nu muncesc pentru bani

Una dintre diferenţele interesante dintre humani şi humanoizi e că cei din urmă nu muncesc pentru bani. Când humanoidul creează ceva sau face un serviciu iar cineva primeşte acel lucru cu adevărat, el se simte împlinit.

Pentru humanoizi, acesta este schimbul. Ei spun: „Uau. E super!" și gata. Darul lor a fost acceptat. Acesta este finalul schimbului. Energia lor este completă în acest schimb.

Banii nu au nimic de-a face cu capacitatea creativă sau cu ce îi motivează pe humanoizi. Banii sunt un produs auxiliar. Sunt un rezultat secundar. Sunt precum excrementele. Majoritatea humanoizilor preferă să nu aibă de-a face cu banii și nici să nu le dea atenție pentru că banii nu au legătură cu capacitatea lor de creație. „Ce altceva pot să creez?" Pentru ei, creația e cea care pune în mișcare energia. În universul unui humanoid, toată energia merge în creație.

Dacă ești un humanoid, iar noi credem că ești, este important să fii conștient de acest aspect pentru că, dacă nu ești dispus să primești acest produs secundar al muncii sau serviciului tău, atunci nu vei obține banii. De fapt, îi vei îndepărta de tine. Vei împiedica banii să vină la tine. Vei refuza să-i primești, chiar dacă ți se datorează. Nu-i vei cere.

Când vine momentul să ceară banii, humanoizii fac: *Ăhhh...ai vrea să mă plătești acum sau mai târziu?* Este greu pentru ei să primească bani pentru munca lor pentru că, de fapt, tot ce vor ei este ca darul lor să fie primit.

Pe de altă parte, cu humanii este foarte clar: ei lucrează pentru bani. Un furnizor de servicii care este human sau un dezvoltator imobiliar va merge într-un loc și va distruge toți copacii și tot ce trăiește pe terenul respectiv și apoi va construi ceva nou făcut din beton din cauza banilor pe care îi va obține din acel lucru. El poate face asta pentru bani.

Humanoizii se zăpăcesc pentru că ei nu pot face lucrurile pentru bani. Cu toate acestea, punctul de vedere cu care au crescut a fost: *Faci lucrurile doar pentru bani iar dacă nu ești plătit pentru asta atunci acel lucru nu merită făcut.* Încercăm să ne integrăm în realitatea humană legată de bani iar acest lucru ne creează o mare dificultate. Ca humanoizi, trebuie să înțelegem că avem o altă perspectivă. Și, de asemenea, trebuie să fim dispuși să primim produsul auxiliar al acțiunilor noastre. Trebuie să fim capabili să cerem și să primim bani.

SĂRBĂTOREŞTE-ŢI ABUNDENŢA

ÎMPĂRTĂŞEŞTI SĂRĂCIA UNIVERSULUI ÎN LOC DE ABUNDENŢA LUI?

Unii oameni simt că au primit mai mult decât meritau în viaţă şi trăiesc judecându-se pe ei înşişi pentru că au mai mult decât alţii. Ei au fost învăţaţi că trebuie să împartă totul şi că nimeni nu trebuie să aibă mai mult decât au ceilalţi. În familia lor, tortul se tăia în felii egale, mai puţin cea pe care o primea tatăl. De obicei, el primea felia cea mai mare pentru că el era cel care asigura veniturile familiei.

Este posibil ca şi tu să fi crezut o astfel de poveste? Trăieşti realitatea „părţii egale"? Împărtăşeşti sărăcia universului în loc de abundenţa lui? Dă-mi voie să-ţi pun o întrebare: ce anume nu este în regulă cu a împărtăşi abundenţa universului în loc de sărăcia lui? Nu ai vrea să renunţi la sărăcie ca fiind adevărul tău? Nu ai vrea, mai degrabă, să iei parte la abundenţa fără margini a universului?

Ești abundența întruchipată

În vieți anterioare, ai fost putred de bogat? Da, ai fost. Te tot întrebi: *„Unde naiba sunt banii în viața aceasta? Ar fi trebuit să apară până acum, la naiba!"*

Au existat vieți anterioare în care ai fost complet lefter? Ba bine că nu. În câte vieți, tot ce ai făcut a fost doar să supraviețuiești? Și continui doar să supraviețuiești? Ești dispus să renunți la „doar a supraviețui" ca punct de vedere?

Amintește-ți de sentimentul pe care l-ai avut când spuneai: *Of, Doamne, abia supraviețuiesc.* Fă acest sentiment infinit, mai mare decât întregul univers. Ce se întâmplă cu el? Devine el mai solid sau dispare? Dispare, ceea ce înseamnă că este o minciună. Tu, ca ființă infinită, nu ai cum doar să supraviețuiești. Ai abundență deplină.

Acest univers, chiar și planeta Pământ, este un spațiu incredibil de abundent. Singurul motiv pentru care undeva există o zonă stearpă este din cauză că oamenii au fost suficient de idioți încât să înlăture totul din acea zonă. Natura va umple fiecare centimetru pătrat cu ceva. Când te duci în deșert, este gol acolo? Nu. Până și în deșert viața este pretutindeni. Există plante, gândaci și creaturi de tot felul. Fiecare centimetru pătrat e acoperit cu ceva.

Cum poți să trăiești ca și când nu ai abundență? Prin a crede ideea că există lipsă. Adopți punctul de vedere că nu există abundență pentru că nu ești în stare să vezi de unde va veni ea. Nu vezi că, de fapt, abundența este de jur împrejurul tău.

Ne spunem: *Ah, în viitor voi avea bani* sau *În trecut am avut bani* dar nu vedem că avem abundență din plin în prezent.

Accepți ideea că banii pot fi aici, chiar acum?

Închide ochii acum și vezi cum banii vin către tine. Vin din spate sau din față, din dreapta sau din stânga, de sus sau de jos?

Dacă vezi banii venind din fața ta, ideea este că vei avea bani în viitor. Dar, când sosește acest viitor? Niciodată. Cauți mereu banii în fața ta. Ești precum măgărușul care are morcovul în față. Mergi întodeauna spre un eveniment viitor.

Dacă vezi banii venind la tine din partea dreaptă, atunci punctul de vedere este că trebuie să muncești din greu pentru ei. Dacă vin din partea stângă, punctul de vedere este că vor veni ca o pomană. Cineva îți va face un cadou ca să te facă bogat.

Ai văzut banii venind din spatele tău? Asta înseamnă că ai avut bani în trecut dar de-acum nu vei mai avea.

Dacă i-ai văzut ca venind de deasupra ta, asta înseamnă că tu crezi că Dumnezeu îți va da bani pentru că nimeni altcineva nu o va face.

I-ai văzut venind din pământ? Atunci mai bine te faci fermier pentru că de acolo crezi că vor veni banii. Vor veni de sub tălpile tale. Sau poți să te faci miner la zăcăminte de opal și așa o să găsești bani.

Cum ar fi dacă ai da voie banilor să vină la tine din toate direcțiile?

Cum ar fi dacă ai da voie banilor să vină la tine tot timpul și din toate direcțiile? Simte acest lucru. Acum, fă acest sentiment infinit, mai mare decât universul. Devine mai solid sau mai puțin solid? Menține acest sentiment și vei avea bani mâine.

Rolul acestei vizualizări este de a-ți clarifica de unde crezi tu că vin banii. Dacă ai ideea că îți vor veni din viitor, nu vei accepta ideea că banii pot fi aici, chiar acum. Dacă te uiți la asta spunând mâine, mâine, mâine atunci, când se plătesc facturile de azi? Mâine sau ieri sau nu se plătesc deloc.

Acest lucru te menţine într-un ciclu de agitaţie ca să te ocupi de diverse lucruri în loc să fii prezent cu ceea ce este disponibil pentru tine.

Dacă ai fi cu adevărat conştient, dacă ai fi în comuniune cu toate lucrurile, dacă ai fi humanoidul care eşti cu adevărat şi dacă ai funcţiona pe baza principiilor estetice ale timpului, spaţiului, dimensiunilor şi realităţilor în care nu există nicio judecată, banii ar putea face parte din viaţa ta în loc să fie un scop în sine.

Ghici ce înseamnă a avea bani?

Majoritatea oamenilor fac din bani un ţel sau o nevoie. Spun lucruri precum: *Dacă măcar aş avea* _____ sau *Dacă aş avea doar* _____ sau *Banii m-ar face* _____. Niciuna dintre acestea nu este reală. Acestea sunt idei pe care le-am folosit în loc de a ne da voie să avem în viaţa noastră tot ce este posibil. Când faci asta, transformi banii în ceva extraordinar de semnificativ în loc să îi vezi ca pe o floare care creşte în grădină. Dacă petreci la fel de mult timp cultivând banii, hrănindu-i, fertilizându-i, udându-i şi îngrijindu-i aşa cum petreci îngrijind florile, crezi că ar creşte ei în viaţa ta? Nu sugerez să plantezi banii în pământ dar ştiu că va funcţiona dacă te gândeşti la ei în acest fel. Trebuie să fii capabil să primeşti bani? Indiscutabil. Trebuie să fii deschis către a primi. Ghici ce înseamnă să ai bani? Să fii capabil să primeşti.

Cum rămâne cu „a te baza pe propriile puteri"?

Uneori, oamenii mă întreabă: *Ce zici de încrederea în propriile puteri? Şi eu îi întreb: De ce ai vrea să te bazezi pe propriile puteri? Nu ai vrea, mai degrabă, să fii capabil să primeşti totul?* Toate lucrurile sunt posibile atunci când eşti dispus să primeşti.

Cei mai mulţi dintre noi am luat decizii precum: *Trebuie să mă bazez pe mine*, ceea ce înseamnă că suntem complet singuri în lumea asta.

Când ai ideea aceasta: *Mă bazez pe mine, sunt întru totul singur, fac totul singur, o să mă descurc singur,* cât de mult ajutor eşti dispus să primeşti? Niciun pic. Eşti atât de ocupat să dovedeşti că trebuie să te descurci singur încât nu-i laşi pe alţii să te susţină în a crea bani. Spui: *Voi dovedi că nu am nevoie de nimeni. Nu-mi pasă ce spui. Nu am nevoie de tine. Pleacă de aici.*

Adevărul este, desigur, că banilor le place să te servească. Ei cred că rolul lor este să fie sclavul tău. Nu ai ştiut asta, nu-i aşa? Banii cred că trebuie să fie de folos. Cineva care este de folos este sclavul sau servitorul tău. Ai vrea să renunţi a mai servi banilor şi să începi să laşi banii să-ţi servească ţie, de-acum înainte?

CUM AR FI DACĂ ŢI-AI SĂRBĂTORI VIAŢA ÎN FIECARE ZI?

Dacă nu-ţi sărbătoreşti viaţa, dacă nu faci din ea o sărbătoare, dacă o creezi din obligaţie, dacă o faci să fie despre muncă, traumă, dramă, necaz şi intrigă, ce anume va apărea în viaţa ta? Mai mult din acelaşi lucru. Dar dacă începi să creezi viaţa ca o sărbătoare, vor apărea posibilităţi diferite.

Când am divorţat de fosta mea soţie şi am plecat din casă, am luat foarte puţine lucruri cu mine. Am plecat cu un set de veselă de porţelan din cele şase pe care le aveam, cu un set de tacâmuri din argint din cele cinci pe care le aveam, cu o tigaie, o spatulă, o lingură şi cu setul de tacâmuri pentru tranşat carnea care aparţinuse tatălui meu. Am luat un set de veselă veche, care era ciobit şi care nu-i plăcea fostei mele soţii, câteva pahare vechi pe care nu le voia nimeni şi două căni de cafea care erau urâte de speriat. Aceasta era toată vesela mea. Cu acestea m-am mutat eu în noua locuinţă.

Am pus bine vesela din porţelan pentru petreceri şi dineuri pe care urma să le dau cândva. Cu siguranţă urma să servesc masa pentru 16 persoae la mica mea masă rotundă din lemn, nu-i aşa? Iar toate lucrurile urâte şi vechi pe care le-am adus cu mine le-am pus în dulapul meu din bucătărie.

Apoi, într-o zi, m-am uitat la ele şi mi-am zis: „Stai puţin. Păstrez toate aceste lucruri pentru o petrecere iar eu trăiesc precum un cerşetor. A cui viaţă o trăiesc, în definitiv? A mea? Vreau ca viaţa mea să fie o sărbătoare."

Am scos toată vesela de porţelan şi am spus: „Dacă sparg dimineaţa la micul dejun un bol pentru cereale, mă va costa 38$ ca să-l înlocuiesc. Dar, cui îi pasă? Dacă sparg una din farfuriile mele mă costă 16$ bucata să o înlocuiesc. Şi ce dacă? Voi folosi tacâmurile în stil Georgian făcute din argint. Lingurile mele costă 360$ bucata. Merit."

Am plecat şi am cumpărat pahare din cristal din care să beau. Gata cu paharele acelea din sticlă groasă care nu se sparg nici dacă dai cu ele de pământ. Voiam ceva care, dacă îl loveam din greşeală, să facă PAC!

Viaţa trebuie să fie o sărbătoare. Dacă nu-ţi sărbătoreşti viaţa, atunci nu trăieşti. Viaţa ar trebui să fie o experienţă orgasmică în fiecare zi. Nu ar trebui să trăieşti cu ceea ce trebuie să suporţi, cu ceea ce trebuie să faci şi cu ce mai rămâne. Ai de gând să-ţi petreci viaţa ca un pachet de resturi sau te vei crea pe tine ca pe o sărbătoare?

În orice moment, eu am cel puţin cinci sticle de şampanie în frigider – nu şampanie ieftină – ci şampanie de calitate. Uneori, la cină mănânc plăcintă şi beau şampanie doar pentru că pot face asta.

Când îţi faci viaţa ca o sărbătoare, când cauţi bucuria vieţii, mai degrabă decât tristeţea ei, vei crea o realitate cu totul diferită. Nu este asta ceea ce ţi-ar plăcea să ai cu adevărat?

Azi ar trebui să fie cea mai bună zi din viaţa ta

Când am fost la petrecerea de 40 de ani a cumnatului meu, toţi bărbaţii stăteau în sufragerie şi povesteau că cel mai bun moment din viaţa lor a fost la vârsta de 18 ani când erau la liceu. Aveau maşini frumoase şi erau sportivi. Toate femeile erau în bucătărie vorbind despre cum cel mai bun moment din viaţa lor a fost când au născut. Când mi-a venit rândul să vorbesc, m-au întrebat: „Care a fost cel mai bun moment din viaţa ta? "

Am răspuns: „Astăzi. Și dacă nu este așa, îmi zbor creierii." După acest răspuns nu am mai fost foarte popular. Azi ar trebui să fie cea mai bună zi din viața ta. Dacă nu este cea mai bună zi din viața ta, de ce naiba ești în viață?

Doar azi, viața mea va fi o sărbătoare

Reamintește-ți în fiecare zi să faci din viața ta o sărbătoare. Caută bucuria de a trăi. În fiecare dimineață spune: *Doar azi, viața mea va fi o sărbătoare* și urmărește noile posibilități care vor apărea.

SOLICITĂ MĂREȚIA VIEȚII TALE

Cere și ți se va da este unul dintre adevărurile din Biblie.

Așadar, ce vei cere? Măreția care ești? Dacă soliciți să apară măreția care ești, atunci o mulțime de alte lucruri o vor însoți. Solicită măreția vieții tale. Cere să apară bucuria și sărbătoarea în viața ta. Nu cere bani, pentru că banii nu au nimic de-a face cu grandoarea vieții tale. Tu, însă, ai.

Dacă pretinzi să ai măreția vieții, dacă pretinzi măreția a ceea ce ești și dacă ceri ca viața ta să fie o sărbătoare atunci vei avea posibilități infinite. Dacă ceri doar bani, nu va apărea nimic pentru că banii nu sunt energia aceea. Banii sunt doar mijlocul pe care îl folosești ca să ajungi acolo. Pretinde să ai măreția care ești tu.

Dacă ai curajul să ceri, poți să primești.

LA URMA URMELOR, CE AI CU ADEVĂRAT?

Recent, au fost intervievați câțiva dintre supraviețuitorii uraganului care a avut loc în Golf. Reporterul a întrebat pe un om a cărui casă a fost distrusă în furtună: „Ce părere aveți despre uragan?" iar omul a răspuns: „Știi, eu m-am mutat aici în sud, în Golf și mi-am adus cu mine tot ce aveam, toate fotografiile de familie, tot ce am crezut că are valoare pentru mine iar acum, tot ce mai am este o placă de beton. Toate lucrurile mele au fost duse de vânt. Dar, știi ceva? Încă mă am pe mine."

Același lucru s-a petrecut după un cutremur puternic în California. Un reporter TV a întrebat un bărbat: „Ce părere aveți despre cutremur?" iar omul a răspuns: „Soția mea și cu mine eram în dormitor la etajul 3 al apartamentului nostru. Dormeam dus. Dintr-o dată, a fost o zguduitură puternică și brusc m-am trezit pe podea. Nu știam unde-mi sunt lucrurile dar lângă mine era o pereche de pantaloni scurți așa că i-am pus pe mine. Soția și-a găsit halatul lângă ea. Singurul lucru pe care l-am mai reușit să-l găsim a fost o fotografie a soției la nunta noastră. Nu știm unde ne sunt hainele. Nu găsim nimic. Dar, știi ceva? Încă ne mai avem unul pe celălalt."

Dacă stai să te gândești, ce ai cu adevărat?

Te ai pe tine.

Tu ești punctul de pornire al vieții tale. Tu ești punctul de pornire pentru crearea banilor tăi, a averii tale, a puterii și a orice altceva. Indiferent de dezastrul care apare, indiferent de ce anume dispare sau se pierde, te vei avea întotdeauna pe tine. Tu ești punctul de plecare pentru tot ce se petrece în viața ta.

POȚI SCHIMBA MODUL
ÎN CARE BANII VIN ÎN VIAȚA TA

- Pune deoparte zece la sută din tot ce primești. Donează Bisericii care ești tu.

- Poartă cu tine mulți bani în buzunar – dar nu-i cheltui.

- Repetă timp de câteva zile, sau săptămâni, întrebarea *Percepe, știi, fii și primește* până când începi să vezi o schimbare. Este o tehnică nemaipomenită pentru a deveni conștient de ce anume te limitează. *Percep, știu, sunt și primesc ceea ce refuz, nu îndrăznesc, nu trebuie niciodată și trebuie, de asemenea, să percep, să știu, să fiu și să primesc care îmi va oferi claritate și ușurință totală cu_____.* Sau poți folosi varianta simplificată: *Ce trebuie să percep, să știu, să fiu și să primesc și care mi-ar permite să_____?*

- Nu te judeca. Înțelege că ești humanoid. Acest lucru îți conferă un avantaj inechitabil față de toată lumea. Profită! Reflectă viața ta acest lucru? Ai o grămadă de bani? Vei avea.

- Atunci când începi să te judeci, întreabă: *Este asta a mea?* Nouăzeci și opt la sută din gândurile, sentimentele și emoțiile tale nu-ți aparțin. Ești parapsihic cu mult mai mult decât recunoști. Când începi să te întrebi: *Este asta a mea?* îți va deveni foarte clar că nu ai gânduri. În esență, nu ai nimic în cap.

- Trăiește-ți viața în incremente de zece secunde. Dacă nu trăiești în incremente de zece secunde, atunci nu trăiești din alegere. Dacă, în mod constant, creezi în incremente de zece secunde atunci nu poți face greșeli pentru că timp de zece secunde poți face o alegere stupidă, nebunească și zece secunde mai târziu o poți schimba.

- Folosește fluxurile de energie. Dacă încerci să te conectezi cu cineva sau dacă vrei să-ți plătească banii pe care ți-i datorează, trage energie prin ei, prin toţi porii corpului tău şi ai fiinţei tale şi lasă să plece un firicel înapoi spre ei astfel încât să se gândească la tine fără încetare. Nu vor avea pace. Îi va înnebuni până când te vor plăti.

- Începe să fii atent la ce creezi. Te bucură? Dacă lucrurile continuă să apară într-un anumit mod, este ceva în legătură cu asta care îţi place. Dacă viaţa se arată mereu fără bani, fără prieteni şi fără orice altceva este din cauză că e ceva în legătură cu asta ce îţi place să creezi. De îndată ce recunoşti: *Bine, probabil că-mi place, nu ştiu de ce dar, în fine, îmi place* atunci lucrurile pot începe să se schimbe.

- Trăieşte în întrebare. O întrebare împuterniceşte. Un răspuns dezîmputerniceşte. Dacă ceea ce primeşti în viaţă nu este ceea ce ţi-ai dori să ai, observă ce anume ceri cu adevărat şi ce anume primeşti. Cum schimbi asta? Pune o întrebare diferită. Când pui o întrebare, universul va face tot ce poate ca să-ţi dea un răspuns. Nu spune: *Of, Doamne, viaţa mea e groaznică.* Întreabă: *Care sunt posibilităţile infinite pentru ca ceva diferit să apară în viaţa mea?*

- Când banii apar în viaţa ta, întreabă: *Cum devine şi mai bine de-atât?* Când apare o factură în viaţa ta, întreabă: *Cum devine şi mai bine de-atât?* (Poate vei afla că a fost din greşeală). Continuă să întrebi *Cum devine şi mai bine de-atât?* fie că este o situaţie bună, fie că este una rea iar universul va face orice poate ca să o facă mai bună.

- Spune: *Totul în viaţă vine la mine cu bucurie, uşurinţă şi glorie.*

Este mantra noastră în Access. Nu este o afirmaţie pentru că nu este despre a avea doar lucrurile pozitive. Include ce e bun, ce e rău şi ce e urât. Primim totul cu uşurinţă şi bucurie şi glorie. Nimic din astea nu trebuie să fie dureros, cu suferinţă şi cu sânge chiar dacă acesta este felul în care cei mai mulţi dintre noi ne trăim viaţa. În schimb, te poţi distra. Cum ar fi dacă scopul vieţii ar fi doar să te distrezi? *Totul în viaţă vine la mine cu bucurie, uşurinţă şi glorie.* Spune-o de zece ori dimineaţa şi de zece ori seara şi-ţi va schimba viaţa. Lipeşte-o pe oglinda de la baie. Spune-i partenerului tău că se află acolo pentru ca să-ți amintești de ea. Va schimba și viața partenerului tău, doar pentru că el sau ea trebuie să o privească.

- Decide pentru tine că, indiferent de ce e nevoie, nu vei crede vechiul punct de vedere. Nu vei mai continua să trăiești o viață la scară mică.

- Creează-ți fiecare zi din viață ca o sărbătoare. Spune în fiecare dimineață: *Doar azi, viața mea va fi o sărbătoare* și urmărește noile posibilități care vor apărea.

NOTĂ PENTRU CITITOR

Informația prezentată în această carte este, de fapt, doar un mic exemplu din ce are Access de oferit. Există un întreg univers de procese și clase Access. Dacă sunt aspecte în viața ta în care nu poți face lucrurile să meargă așa cum știi că ar trebui, poate ai fi curios să participi la o clasă Access sau să găsești un facilitator Access care poate lucra cu tine ca să-ți ofere mai multă claritate legată de situații pe care nu le poți depăși. Procesele Access se fac împreună cu un facilitator instruit și se bazează pe energia ta și a persoanei cu care lucrezi.

Pentru mai multe informații, vizitează site-ul:

www.AccessConsciousness.com

GLOSAR

Bars

Bars este un proces practic Access, care presupune atingerea blândă a unor puncte aflate pe cap, puncte ce corespund anumitor aspecte de viaţă. Sunt puncte pentru bucurie, tristeţe, corp şi sexualitate, conştientizare, bunătate, recunoştinţă, pace şi calm. Există până şi un punct pentru bani. Aceste puncte se numesc bars (benzi de energie) pentru că rulează dintr-o parte într-alta a capului.

A fi

În această carte, cuvântul este folosit câteodată ca referinţă la tine, fiinţa infinită care eşti cu adevărat, spre deosebire de previzibilul punct de vedere despre cine crezi tu că eşti.

Fraza de curăţare (POD/POC)

Fraza de curăţare pe care o folosim în Access este: Corect, greşit, bine, rău, PAC (punct al creaţiei) şi PAD (punct al distrugerii), toate 9, scurţi, băieţi şi nevăzute.

(în limba engleză: Right and wrong, good and bad, POD, POC, all nine, shorts, boys and beyonds.)*

Right and wrong, good and bad este prescurtarea pentru: Ce este bun, perfect şi corect legat de această situaţie? Ce este greşit, josnic, rău, groaznic, urât şi înspăimântător legat de această situaţie? Ce este corect şi greşit, bine şi rău?

POC este punctul creaţiei gândurilor, sentimentelor şi emoţiilor care preced ceea ce ai decis.

POD este punctul distrugerii care precede orice ai decis. Este ca atunci când tragi cartea care se află la baza piramidei din cărţi de joc. Întreaga construcţie se dărâmă.

All nine reprezintă cele nouă straturi de rahat care au fost îndepărtate. Ştii că, undeva în acele nouă straturi, trebuie să existe un ponei pentru că nu ai fi putut să aduni atât de mult bălegar într-un singur loc fără să ai şi un ponei acolo. Este bălegar (rahat) pe care îl generezi tu singur, aceasta este partea proastă.

Shorts este versiunea scurtă pentru: Ce este semnificativ în legătură cu asta? Ce este nesemnificativ în legătură cu asta? Care este pedeapsa pentru acest lucru? Care este răsplata pentru acest lucru?

Boys reprezintă sferele nucleate. Ai văzut vreodată un dispozitiv pentru făcut baloane de săpun cum au copiii? Când sufli în el, creezi o mulţime de bule. Spargi o bulă şi următoarele bule umplu spaţiul.

Beyonds sunt sentimente sau senzaţii pe care le ai şi care îţi opresc inima sau respiraţia sau îţi blochează disponibilitatea de a te uita la posibilităţi. Este ca atunci când afacerea ta este în pierdere şi primeşti o altă somaţie şi faci AH! Nu te aşteptai la asta în clipa respectivă.

Uneori, în loc să spunem „foloseşte fraza de curăţare" spunem doar „fă POD şi POC".